电厂热力系统节能分析原理及应用

阎水保　阎留保　著

黄 河 水 利 出 版 社

前　言

一个好的理论不仅要求正确,而且要求简捷。“简单易学”正是本书的最大特点。本书建立了一整套电厂热力系统节能理论和定量分析方法。通过对热力系统的结构的抽象和概括指出:热力系统是一个“热功转换网络”,其中有若干个能级组成。这是热力系统在结构上的共同特征。可以用一个矩阵来描述热力系统的结构,书中将锅炉也作为一个能级,包含在热力系统的结构矩阵中。这与以前的方法有所不同。通过对热力系统中工质的运动规律的研究发现,工质在热力系统中的循环运动回路改变,不会影响工质在热力系统中某一具体位置时的实际作功能力。这样,工质作为“载体”的特征就明显地表现出来了。本书中将工质在热力系统中的运动规律概括为“回路作功能力原理”,并给出了数学表达式。热力系统从锅炉的吸热、向外输出的内功、汽水损失、散热损失,节流损失等,都是外部因素与热力系统作功网络之间的作用。这些外部作用可以用向量来表示,书中称为焓向量。焓向量是出发自凝汽器水侧焓,终至于外部作用对热力系统作功网络的作用点的向量,可用向量在热力系统中各个能级上的投影来表示。因此,热功转换网络、回路作功能力原理和焓向量就构成了对热力系统及其与外界作用的完整的描述手段。正是由于本书提供了对热力系统描述的完整手段,才使得本书所建立的理论具有与等效焓降法、循环函数法和矩阵法所不同的特点。它不再需要根据机组的类型或外界作用的类型来建立数学模型,避免了由此而带来的计算公式数量的膨胀和方法的复杂化。

关于“能量”的度量问题,习惯的做法是仅仅从“数量”上度量能量,这是属于热力学第一定律的范畴,用这种观点看待能量将会给节能工作带来不便。这是因为节能是属于热力学第二定律的范畴,若能从“实际作功能力”的角度来度量能量,则会给节能分析工作带来极大方便。本书给出了直接度量能量在一个实际热力系统中作功能力的方法。

热力系统节能分析理论发展的一个明显趋势是融合性和归一性。即各方法之间相互吸收优点,这也是本书的一个突出特点。

总之,本书力求在吸收现有方法优点的基础上,建立一套完整的、易于学习和使用的热力系统节能分析新理论,以求使电厂的热力系统节能分析工作普及化、大众化。本书的目的是否能够达到,还待读者作出评价。由于本人能力有限,时间仓促,不妥之处难免,敬请读者批评指正。

作　者

1999年12月20日

目　录

第二部分 节能理论的验证和应用

绪　论

0.1　热力系统节能分析方法简述

火电厂的经济效益和社会效益具有极重要的意义,提高火电厂的热经济性(即减少能耗),不仅是降低发电本身成本的需要,而且减少一次能源的消耗,有利于对资源和环境的保护,实现可持续性发展。所以,火电厂的节能工作一直是一项经常要做的重要工作。

热力系统节能概念属于热力学第二定律的范畴。实际中发生的热过程都是不可逆过程,必然存在作功能力损失,这个损失了的作功能力是无法恢复的。热力系统节能就是通过合理的设计和改造热力系统,使热力系统的热力学不可逆性在现有的技术经济条件下为最小。热力系统节能分析理论的任务就是提供对热力系统的分析手段,即时发现机组在制造、安装、运行中的缺陷和不足,提出机组改造方案,指导机组运行管理,从而实现节能。

热力系统节能理论的发展,国外在20世纪60年代已开始,我国则在20世纪70年代才起步并得到了迅速发展,对于提高电厂热经济性发挥了重要作用。热力系统的节能分析方法有热平衡法、等效焓降法、循环函数法和矩阵法等。

热平衡法是最基本的分析热力系统的方法。热平衡法一般用来验证其他方法的正确性,而较少直接用于热力系统节能分析。这是因为,当热力系统比较复杂时,或对热力系统进行多方案比较时,直接应用热平衡法往往很繁琐。这时,一般采用与热平衡法等价的其他算法,例如循环函数法、等效焓降法和矩阵法等。

到目前为止,这些方法还不够完善。主要表现在以下几个方面:(1)这些方法较复杂,处理辅助系统常需要分类。

(2)对计算公式的推导需要依赖具体的热力系统模型进行,计算公式较多、通用性差。

(3)这些方法基本上是用归纳的方法建立起来的,系统性方面存在缺陷。

因此,寻求一种更为系统、更为简便、适合于计算机求解的热力系统节能分析理论,对于电厂热力系统节能工作的深入开展具有重要意义。

0.2 回路作功能力原理

热力系统中,从总体上讲,工质的运动是分布在各个不同的子回路中作循环运动的。但是,对于一个流体微团而言,在同一时刻只能出现在一个回路中。研究一个流体微团的运动规律,有助于了解热力系统的整体特征。不失一般性,我们以 1kg 工质的流体微团作为研究对象。

我们知道,机组热效率的定义式为

$$\eta_{av} = \frac{w_t}{q_1} \tag{0-1}$$

式中:w_t 为 1kg 工质的循环净技术功;q_1 为 1kg 工质在循环中从高温热源的总吸收热量。

热效率 η_{av} 表示了总吸热在热力系统中的平均作功能力。但是,我们发现,1kg 工质在热力系统中的作功能力是工质在热力系统中沿吸热过程运动时逐渐获得的。其中,工质在热力系统中不同部位吸热对作功能力的贡献是不同的。为了描述工质在热力系统不同部位吸热时所吸热量能够转化为功的能力的大小,需要引入一个新的变量。我们暂时把这个变量定义为

$$\eta = \mathrm{d}\varphi / \mathrm{d}q \tag{0-2}$$

式中:$\mathrm{d}q$ 为1kg在热力系统中某空间位置(M)吸收的热量;$\mathrm{d}\varphi$ 为1kg工质吸收 $\mathrm{d}q$ 热量的作功能力增加量;$\eta = \eta(M)$,是热力系统空间位置 M 的函数。

在热力系统中,工质吸热是在定压条件下进行的,吸热时不作技术功。由热力学第一定律得:$\mathrm{d}q = \mathrm{d}h$。所以,对于吸热过程,式(0-2)可以写成

$$\eta = \mathrm{d}\varphi / \mathrm{d}h \tag{0-3}$$

工质作功是在汽轮机通流部分中进行的。根据热力学第一定律有:$\mathrm{d}w_t = -\mathrm{d}h$。$\mathrm{d}w_t$ 为工质在汽轮机通流部分一微元过程对外作的技术功。工质对外作功 $\mathrm{d}w_t$,工质本身所具有的作功能力就减少 $\mathrm{d}\varphi$。所以对于汽轮机通汽部分有 $\mathrm{d}\varphi = -\mathrm{d}w_t = \mathrm{d}h$。即

$$\mathrm{d}\varphi / \mathrm{d}h = 1 \tag{0-4}$$

比较式(0-3)和式(0-4)可以发现,式(0-3)从形式上可以推广到汽轮机通流部分,这时,$\eta = 1$。

对于凝汽器,工质在其中吸热不增加其在热力系统中的作功能力,可以表达为:$\mathrm{d}\varphi / \mathrm{d}h = 0$。因此,式(0-3)从形式上还可以推广到凝汽器中,有 $\eta = 0$。

在本书中将式(0-3)作力描述热能在热力系统中局部的作功能力,称为局部作功效率。所以,局部作功效率概念对于热力系统的各个部分都是有意义的。

将(0-1)式改写为:

$$\eta_{\mathrm{av}} q_1 - w_t = 0 \tag{0-5}$$

由于

$$\int_{(\text{吸热过程})} \eta \mathrm{d}h = \eta_{\mathrm{av}} q_1$$

$$\int_{(\text{汽机作功过程})} \eta \mathrm{d}h = - w_t$$

$$\int_{\text{凝汽器放热过程})} \eta \mathrm{d}h = 0$$

所以式(0-5)可以写成

$$\int_{(\text{吸热过程})} \eta \mathrm{d}h + \int_{(\text{汽机作功过程})} \eta \mathrm{d}h + \int_{(\text{凝汽器放热过程})} \mathrm{d}h = 0$$

即

$$\oint \eta \mathrm{d}h = 0 \tag{0-6}$$

式(0-6)可以表达为:1kg 工质沿热力系统中任意回路运动一周,其作功能力不变,称之为回路作功能力原理。

0.3 热力系统的两个基本特征

回路作功能力原理揭示了热力系统的一个基本的特征——工质的载体特征。尽管热力系统中热能向机械能的转换必须借助工质来完成,但工质仅起着载体的作用。工质在热力系统中的循环运动不会增加实际作功能力。热力系统既接受来自外界的作功能力,又以各种方式向外界输出作功能力。热力系统通常从锅炉获得作功能力,以内功率、供热、散热、节流、泄漏等方式输出作功能力。在稳定工况下,热力系统既不储存,也不消耗实际作功能力。有了回路作功能力原理,分析实际机组的作功能力,就如同在可逆机中分析作功能力一样方便,这都是归功于局部作功效率概念的引入,因为在局部作功效率中已考虑了热力系统内部的不可逆性。节能就是减少无用的作功能力输出,增加以内功率方式的作功能力输出。

热力系统的另一个基本特征是网络特征。无论是纯凝汽机组、再热机组,还是供热机组,都可看做是热功转换网络,这是机组的共同特征。作功网络由若干个能级组成,不同的机组能级的构成不同。高参数机组包含的能级较多,且存在较高的能级;低参数机组只包含较少的低能级。因此,高参数机组的高能级从锅炉吸收的热量具有较强的作功能力,这与机组向大容量高参数化发展是相一致的。另外,热力系统的网络并不一定是由设备和管道的边界所组成的，有时环境也是网络的一部分。例如，工质由泄漏点离开机组到从补充水返回热力系统这一段也是网络的一个分支。

这两个基本特征是热力系统所共有的。根据这两个特征可运用演绎推理导出热力系统的节能分析理论。这与以前的节能分析理论有很大的不同，因为以前的节能理论都是通过归纳方法建立起来的。

0.4 对矩阵法的新认识

一般认为，矩阵法是一种并联算法，这主要是因为矩阵法中存在着矩阵求逆运算。但是若细致的分析一下就会发现，热力系统的结构矩阵是一个三角阵，故求解各非调节抽汽量时，并不需要作矩阵求逆运算。采用递推算法更为方便，这实际上是将并联算法转化为了串联算法。因此，矩阵算法也可以归为串联算法。但是，在进行公式推导时，矩阵法以其简捷的形式而具有明显的优越性。

0.5 对等效焓(热)降法的新认识

到目前为止，等效焓降法被认为是一种串联算法。但是，等效焓降法同样可以用矩阵表示，所用的结构矩阵与矩阵法所用的矩阵完全相同，而且用矩阵表示可以使公式推导非常简捷，这是以前人们所未注意到的。等效焓降法的使用条件中要求限定新蒸汽流量不变，这个条件在机组的实际运行中常常不易满足。当新汽流量变化时，各辅助汽水损失一般不与新汽成比例变化，这使得节能分析过程很复杂。究其原因，是因为“等效焓降”概念本身包含有“质量”量纲，而局部作功效率(等效焓降法称抽汽效率)则不包含“质量”量纲，且与热机中的两种基本能量形式“热”和“功”密切相关，所以用局部作功效率来构筑节能分析理论更为合理，这样构筑的理论就不再受定新汽流量的限制。更进一步,局部作功效率概念对抽汽效率进行了拓宽,使之可以适用于锅炉、汽轮机、凝汽器等。因而,字面上已不再是“抽汽”的效率的意思。所以,本书命名为局部作功效率。

对于再热机组的等效焓降法,有“定热量”和“变热量”之分,这主要是因为对再热器吸热量所带来作功能力的处理方法不同所引起的。如何看待再热器吸热量的作功能力是再热机组所必须认真研究的独特问题。等效焓降法将再热器吸热的作功效率取为汽轮机装置的效率,由热系统计算获得。这动摇了等效焓降法作为一种独立的节能分析方法的基础。因为在等效焓降法中所用到的重要数据需要通过其他的分析方法来获得。不仅如此,汽轮机装置的效率是随着机组损失构成和负荷的变化而变化的,将不易获得和确定的数据来作为再热器吸热的作功效率显然存在技术上的问题。本书取锅炉能级的作功效率作为再热器吸热的作功效率,可以避免此问题。由于再热器是从锅炉吸热的,故这种取法也是合乎常理的。再热机组节能分析的另一个独特问题是需要确定排挤单位非调节抽汽流经再热器的份额。等效焓降法所提供的公式不适用于锅炉能级。本书所导出的公式可以适用于锅炉能级,这是等效焓降法所做不到的。当热力系统中参数的变化影响到结构矩阵时,各能级的作功效率会变化,这时等效焓降法是近似的。

0.6 对循环函数法的改进

对循环函数法的改进主要表现在对公式进行压缩处理上。对热力系统中各种损失的考虑是并行的,不再将热力系统分解为若干子系统的叠加。热力系统的流量分配计算,最终可以通过调用一个加热单元通用函数来完成。此外,还规范和简化了原始数据的处理方法,使计算程序大大简化。

0.7 热力系统节能分析方法的分类

目前,一般将热力系统节能分析方法分为串联算法和并联算法。这种分类方法是不够恰当的。例如,矩阵法一般认为是并行算法,但它可以用串联递推算法来实现;等效焓降法一般认为是串联算法,但若用矩阵来推导和表示这种方法却更为简捷。因此,一种好的算法常常需要取串联算法和并联算法之长。本书根据直接求解的未知量的类型,将热力系统节能分析方法分为流量分布型和作功效率型。等效焓降法属于作功效率型,因为其直接求解的未知量是作功效率。矩阵法和循环函数法属于流量分布型,因为其直接求解的未知量是各非调节抽汽量。

第一部分

热力系统节能的基本理论

第一章　回路作功能力原理及应用

1.1　工质的局部作功效率

电厂热力系统是将蒸汽的热能转化为汽轮机转子的机械能的装置。在热力系统中,热量作用于系统的部位不同将会对系统的作功产生不同的效果。若 1kg 工质在其工作的回路中焓值增加 $\mathrm{d}h$,使热力系统的作功能力增加了 $\mathrm{d}\varphi$,则定义:

$$\eta = \frac{\mathrm{d}\varphi}{\mathrm{d}h} \tag{1-1}$$

称 η 为热力系统中该位置的局部作功效率,简称作功效率。对于同一个加热器,放热侧和吸热侧对热力系统作功的影响是相同的,表现为同一加热器 η 为定值。

作功效率不同于一般的热效率定义。这是因为 1kg 工质在热力系统中的吸热和作功在时间上是不同步的;在空间上是在不同的设备中完成的。使用热效率概念时,要求工质必须经历一个作功循环。所以,热效率概念不适用于热力系统的局部定量分析。而使用作功效率概念,用工质的微焓增代替工质的吸热,用工质的微作功能力增加代替实际作功,这时不必要求工质进行一个完整的循环。因此,作功效率对热力系统的局部是有意义的。例如,对于凝汽器,$\eta=0$;对于汽轮机通流部分,$\eta=1$。

由于在热力系统分析中一般不考虑流动阻力损失,而泵的升压作用是用于克服流动阻力损失的,故在热力系统分析中泵的升压作用也不应考虑。这样泵对热力系统的作用相当于纯热量。绝热节流过程和定焓压缩过程将不会在对系统进行分析时出现,避

免了 $\eta=\infty$ 的情况。

1.2 工质流过加热器时的作功能力变化

工质经过加热器时，由于存在热交换，其作功能力将发生变化。1kg 工质经过一个加热器有不同的路径。对于表面式加热器，如图 1-1(a,b,c)；对于汇集式加热器，如图 1-1(d,e,f)。

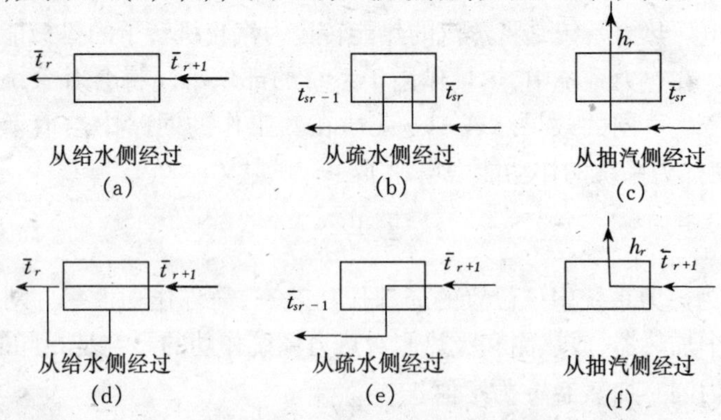

图 1-1 工质经过加热器的路径

引入下列符号：

$\bar{t}_r$——第 r 级加热器出口给水焓；

$\bar{t}_{sr}$——第 r 级加热器的疏水出口焓；

h_r——工质经第 r 级加热器抽汽通道时的出口焓；

τ_r——1kg 工质经主给水通道流过加热器的焓升，$\tau_r=\bar{t}_r-\bar{t}_{r+1}$；

γ_r——1kg 工质经疏水通道流过加热器时的焓升，对于表面式加热器 $\gamma_r=\bar{t}_{sr-1}-\bar{t}_{sr}$；对于汇集式加热器 $\gamma\ r=\bar{t}_{sr-1}-\bar{t}_{r+1}$；

q_r——1kg 工质经抽汽通道流过加热器时的焓升，对于表面式加热器 $q_r=h_r-\bar{t}_{sr}$；对于汇集式加热器 $q_r=h_r-\bar{t}_{r+1}$

若工质工作的回路编号为 x，则 1kg 工质流过加热器 r 的作功能力增量依次为：

(1)从给水侧流过时：$\Delta\varphi_{x,r}=\tau_r\times\eta_r$

(2)从疏水侧流过时：$\Delta\varphi_{x,r}=\gamma_r\times\eta_r$

(3)从抽汽侧流过时：$\Delta\varphi_{x,r}=q_r\times\eta_r$

1.3 回路作功能力原理

我们对热力系统进行节能分析是在热力系统处于稳定工况的条件下进行的，这时，单位热量在热力系统中某一确定位置的作功能力是一个定值。这时，1kg 工质沿任何一个闭合回路中运动一周，回到初始位置，其在热力系统中的作功能力不变，称为回路作功能力原理。记作

$$\oint \eta \mathrm{d}h = 0 \tag{1-2}$$

这是因为对于 1kg 工质而言，它可以工作于任意一个回路中，而工质在热力系统中某一位置的作功能力不因其工作回路的改变而改变。回路作功能力原理表明，尽管我们在分析热力系统时，习惯上把热力系统看做是若干个回路的叠加，但对 1kg 具体工质工作于哪一个回路，则是无法控制的。当这 1kg 工质工作的回路发生变化时，不会改变工质在热力系统中某一具体位置的作功能力。否则，热力系统将是不稳定的。

推论　工质在热力系统中的实际作功能力，由其所携带的能量和在热力系统中的作用位置决定，与工质具体通过哪一条路径实现作功无关。

1.4 热力系统的能级和焓的向量表示

根据热力学第一、二定律，热量不仅有数量上的等同性，而且

存在质(作功能力)上的差异。热量对热力系统的作用不仅与热量数量有关,而且与热量加入热力系统的位置有关。即使是同数量的热量,在热力系统的不同位置,将有不同的含义(作功能力不同)。只有作用于同一加热器的热量才能相加减(表现为热交换);作用于不同加热器的热量不能简单相加减(即无法进行热交换)。这样,当我们要表示热量(或工质)对热力系统的作用时,既要指出其数量,又要指出其在热力系统中的分布情况,这时,热量(或工质焓)用向量来描述比较方便。用向量的分量来形象表示各加热器的位置,用向量各分量的数值表示工质在各加热器中热量的增减。

若热力系统有 n 级非调节抽汽,称回热系统有 n 个能级。锅炉和凝汽器也各是一个能级。这样,热力系统共有 $n+2$ 个能级。在每个能级内,作功效率是常数,热量是可以相加减的;不同的能级之间,热量是不能直接相加的。热力系统中能级按作功能力从高到低依次编号为:$r=0,1,\cdots,n,n+1$。锅炉为第 0 能级,凝汽器为第 $n+1$ 能级。各能级的作功效率记为 $\eta_r(r=0,1,\cdots,n,n+1)$。由于向凝汽器放热不会在热力系统中作出功量,故 $\eta_{n+1}=0$。此外,汽轮机通流部分也是一个作功能级,其作功效率为 1。

若 1kg 焓值为 h_x 工质位于第 j 级回热加热器,则其在热力系统中的作功能力可以用沿一条从凝汽器到工质引入点的积分求得(如图 1-2)。

h_x 的作功能力为

$$\varphi_x=\int_c^x \eta \mathrm{d}h \tag{1-3}$$

由于在每个能级内作功效率为常数,故式(1-3)可以写成

$$\varphi_x=\sum_{r=j}^{n} a_{x,r}\times\eta_r=\sum_{r=0}^{n} a_{x,r}\times\eta_r \tag{1-4}$$

式中:$a_{x,r}$ 为工质的焓值 h_x 在 r 能级的分量,下标 x 表示计算 h_x 作功能力时在水侧的路径。

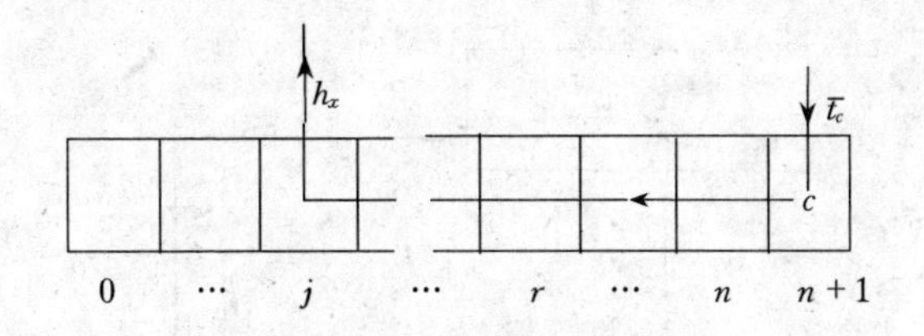

图 1-2　工质在热力系统中的作功能力计算

由于工质位于第 j 能级，故其在第 0 至 $j-1$ 能级的分量为零，即当 $r=0,\cdots,j-1, a_{x,r}=0$。当 $r=j$ 时，$a_{x,r}$ 为工质在该能级的放热能力。当 $r=j+1,\cdots,n$ 时，若路径 x 位于 r 能级的给水侧时，$a_{x,r}=\tau_r$；若路径 x 位于 r 能级的疏水侧，$a_{x,r}=\gamma_r$。当纯热量加入热力系统时，只在其作用的能级上的分量不为零，在其他能级上的分量均为零。

引入作功效率向量 $\vec{e}$：

$$\vec{e}=[\eta_0,\eta_1,\cdots,\eta_n]^{\mathrm{T}}$$

引入焓向量 $\vec{a}$：

$$\vec{a}_x=[a_{x,0},a_{x,1},\cdots,a_{x,n}]$$

焓向量是用于表示外部作用的，它可以完整地表示一个外部作用以区别于其他的外部作用。焓向量的分量用于表示外部作用映射到各个能级上的分量。

这时，根据式(1-4)有

$$\varphi_x=\vec{a}_x\times\vec{e} \tag{1-5}$$

1.5　热力系统的作功效率方程

根据推论，对于非调节抽汽，其作功能力既可以沿水侧路径计算，也可以沿汽轮机侧路径计算(如图 1-3)。

当沿水侧积分时，

$$\varphi_j=\vec{a}_j\times\vec{e}\qquad(j=0,\cdots,n) \tag{1-6}$$

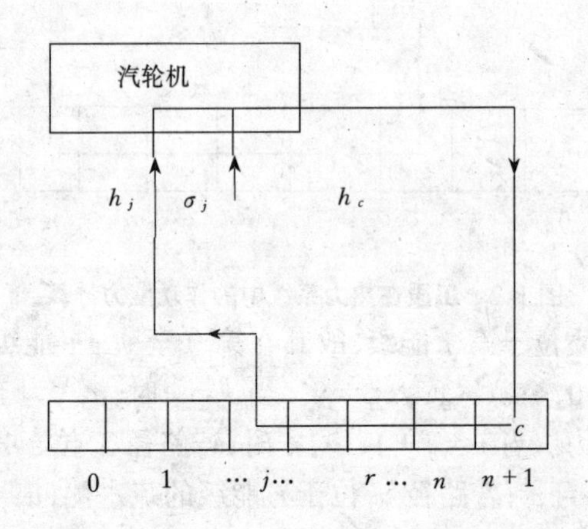

图 1-3　作功效率方程的推导

当沿汽侧积分时,有

$$\varphi_j = h_j - h_c + (1 - \eta_\sigma) \times \sigma_j \qquad (j = 0,\cdots,n) \tag{1-7}$$

其中,σ_j、η_σ 分别为回路 j 从再热器的吸热量和再热的作功效率。当回路不包括再热器时,$\sigma_j = 0$;当回路包括再热器时,$\sigma_j = \sigma$(σ 为 1kg 工质通过再热器时从再热器的吸热量)。由于再热器是从锅炉吸热的,所以 η_σ 取锅炉能级的作功效率 η_0。

依据式(1-6)、(1-7)可以写出从第 0 级至第 n 级非调节抽汽的作功能力表达式。引入非调节抽汽作功能力向量 $\vec{\varphi}$:

$$\varphi = [\varphi_0, \varphi_1, \cdots, \varphi_n]^{\mathrm{T}}$$

则有

$$\begin{aligned} A \times \vec{e} &= \vec{\varphi} \\ \vec{e} &= A^{-1} \times \vec{\varphi} \end{aligned} \tag{1-8}$$

其中,矩阵 A 为:$A = \begin{bmatrix} \vec{a}_0 \\ \cdots \\ \vec{a}_j \\ \cdots \\ \vec{a}_n \end{bmatrix} = \begin{bmatrix} a_{0,0} & \cdots & a_{0,j} & \cdots & a_{0,n} \\ \cdots & & \cdots & & \cdots \\ 0 & \cdots & a_{j,j} & \cdots & a_{j,n} \\ \cdots & & \cdots & & \cdots \\ 0 & \cdots & 0 & \cdots & a_{n,n} \end{bmatrix}$

称式(1-8)为热力系统的作功效率方程。根据该方程可以求出热力系统各能级的作功效率。用式(1-8)计算作功效率时,对于再热机组,因等式右边出现 η_0,所以直接用式(1-8)计算时需要迭代,不方便,这时应对于式(1-8)进行改进,具体方法见第二章第三、四节。

1.6 热力系统的流量分布方程

对于热力系统,热量交换只发生在同能级之间。因此,热交换并不会改变热量在热力系统的实际作功能力,故各外部输入作用的作功能力代数和为零。不失一般性,按能级从高到低依次将非调节抽汽编号为:$r=1,2,\cdots,n$;将锅炉能级编号为 0;凝汽器编号为:$n+1$;热力系统从锅炉的吸热 Q(不包括再热器的吸热)作用编号为:$n+2$;其他调节抽汽作用编号为 $r=n+3,\cdots,p$。D_r $(r=0,1,\cdots,p)$表示各股工质的流量,非调节抽汽以流出热力系统为正,调节抽汽(或疏水)以引入热力系统为正(如图 1-4)。则有

$$\sum_{r=n+2}^{p} D_r \times \vec{a}_r \times \vec{e} - \sum_{r=0}^{n} D_r \times \vec{a}_r \times \vec{e} = 0 \tag{1-9}$$

整理得

$$\sum_{r=n+2}^{p} D_r \times \vec{a}_r - \sum_{r=0}^{n} D_r \times \vec{a}_r = \vec{0} \tag{1-10}$$

式(1-10)称为热力系统的流量分布方程。

将式(1-10)变形得

$$\sum_{r=0}^{n} D_r \times \vec{a}_r = \vec{a}_Q + \sum_{r=n+3}^{p} D_r \times \vec{a}_r \tag{1-11}$$

其中,$\vec{a}_Q=[Q,0,\cdots,0]_{1\times(n+1)}$。

从式(1-11)中可以看出,等式左边含未知的 $n+1$ 个非调节抽汽量;等式右边为已知向量的代数和。

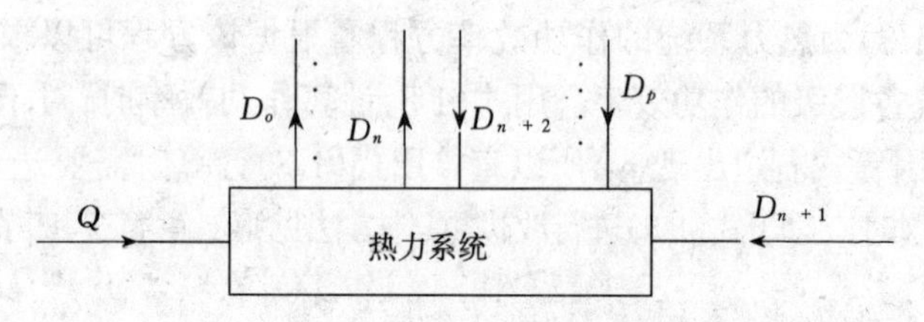

图 1-4　热力系统流量分配方程的推导

引入热力系统流量分配向量 $\vec{D}$：

$$\vec{D} = [D_0, D_1, \cdots, D_n]$$

引入外部作用和向量 $\vec{b}$：

$$\vec{b} = \vec{a}_Q + \sum_{r=n+3}^{p} D_r \times \vec{a}_r$$

则式(1-11)可以写成 $$\vec{D} \times A = \vec{b} \tag{1-12}$$

亦即 $$\vec{D} = \vec{b} \times A^{-1}$$

或

$$\vec{D} = \vec{a}_Q \times A^{-1} + \sum_{r=n+3}^{p} D_r \times (\vec{a}_r \times A^{-1}) \tag{1-13}$$

式(1-13)揭示了外部因素对热力系统作用的本质是各外部焓向量单独作用的代数和。式(1-1)可以表达为：热力系统的非调节抽汽量分布等于各种已知作用对流量分布的影响的向量和，称之为热力系统加热原理。

1.7　外部作用在热力系统中的作功能力计算

热力系统节能分析的一个重要任务，就是要计算外部作用的作功能力。若已知焓向量为 $\vec{a}_k$，其对热力系统流量分布的影响为 $\vec{D}_k$，即

$$\vec{D}_k \times A = \vec{a}_k \qquad (1\text{-}14)$$

式(1-14)等号左边右乘 $A^{-1} \times \vec{\varphi}$,等号右边右乘以 $\vec{e}$,$\vec{a}_k$ 在热力系统中的作功能力为

$$\vec{\varphi}_k = \vec{D}_k \times \vec{\varphi} = \vec{a}_k \times \vec{e} \qquad (1\text{-}15)$$

式(1-15)为焓向量作功能力的两种表达方式。左边为用流量分布法求作功能力的方法;右边是用作功效率法时求作功能力的方法。可见两种方法是等效的。

由上述分析可知,热力系统计算的关键问题是根据热力系统的结构写出矩阵 A,然后求 A^{-1},用 A^{-1}左乘非调节抽汽作功向量 $\vec{\varphi}$可求出作功效率 $\vec{e}$;用 A^{-1}右乘向量 $\vec{b}$可求出流量分配向量 $\vec{D}$。外部因素在热力系统中的作功能力可以统一地用式(1-15)来计算。矩阵 A 为上三角阵,用计算机实现上述算法是很方便的。

【例 1.1】 如图 1-5 所示的热力系统,试写出各非调节抽汽所对应的焓向量和热力系统的结构矩阵 A。

解:新蒸汽对应的焓向量为:

$$\vec{a}_0 = \{q_0, \tau_1, \tau_2, \tau_3, \tau_4, \tau_5, \tau_6, \tau_7\}$$

第 1 级抽汽对应的焓向量为:

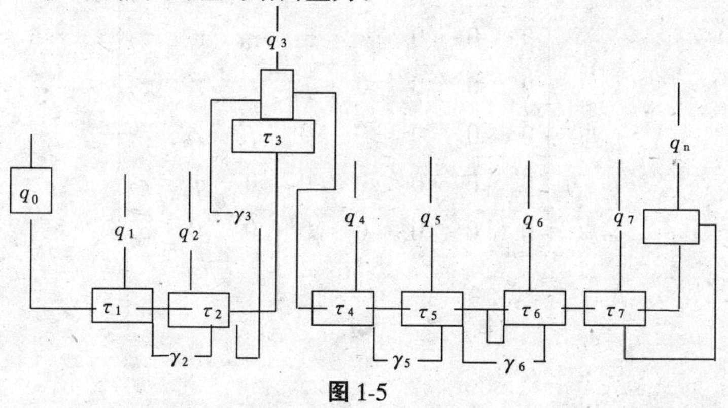

图 1-5

$$\vec{a}_1 = \{0, q_1, \gamma_2, \gamma_3, \tau_4, \tau_5, \tau_6, \tau_7\}$$

第 2 级抽汽对应的焓向量为：

$$\vec{a}_2 = \{0, 0, q_2, \gamma_3, \tau_4, \tau_5, \tau_6, \tau_7\}$$

第 3 级抽汽对应的焓向量为：

$$\vec{a}_3 = \{0, 0, 0, q_3, \tau_4, \tau_5, \tau_6, \tau_7\}$$

第 4 级抽汽对应的焓向量为：

$$\vec{a}_4 = \{0, 0, 0, 0, q_4, \gamma_5, \gamma_6, \tau_7\}$$

第 5 级抽汽对应的焓向量为：

$$\vec{a}_5 = \{0, 0, 0, 0, 0, q_5, \gamma_6, \tau_7\}$$

第 6 级抽汽对应的焓向量为：

$$\vec{a}_6 = \{0, 0, 0, 0, 0, 0, q_6, \tau_7\}$$

第 7 级抽汽对应的焓向量为：

$$\vec{a}_7 = \{0, 0, 0, 0, 0, 0, 0, q_7\}$$

热力系统的结构矩阵为：

$$\mathbf{A} = \begin{bmatrix} q_0 & \tau_1 & \tau_2 & \tau_3 & \tau_4 & \tau_5 & \tau_6 & \tau_7 \\ 0 & q_1 & \gamma_2 & \gamma_3 & \tau_4 & \tau_5 & \tau_6 & \tau_7 \\ 0 & 0 & q_2 & \gamma_3 & \tau_4 & \tau_5 & \tau_6 & \tau_7 \\ 0 & 0 & 0 & q_3 & \tau_4 & \tau_5 & \tau_6 & \tau_7 \\ 0 & 0 & 0 & 0 & q_4 & \gamma_5 & \gamma_6 & \tau_7 \\ 0 & 0 & 0 & 0 & 0 & q_5 & \gamma_6 & \tau_7 \\ 0 & 0 & 0 & 0 & 0 & 0 & q_6 & \tau_7 \\ 0 & 0 & 0 & 0 & 0 & 0 & 0 & q_7 \end{bmatrix}$$

第二章　作功效率分析法

2.1　作功效率法与等效热降法的区别

等效热降法是以新蒸汽流量保持不变为前提条件的[1],而一般机组并网运行时是在定功率下进行的。因此,在实际电厂的节能分析中,采用定功率热经济指标较为有利。本章以作功效率概念为核心,重新构筑作功能力分析理论,新理论采用网络和能级的概念对热力系统建模,使作功效率分析法不仅可以适用于定流量分析法,而且适用于定功率分析法。概念更加清晰,使用更加方便。

等效热降法的核心概念是等效热降。等效热降,定义为 1kg 抽汽的实际作功能力。等效热降不仅与蒸汽所带的热能有关,而且直接与蒸汽的质量有关。对于非蒸汽作用(水和纯热量)需分类进行处理。

以作功效率为核心的方法的优点是:突出了热力系统作功的本质因为从外界吸热,即功(机械能)是由热能转化来的;工质在热力系统中的流动只是起着能量载体的作用。作功效率概念中不出现“质量”量纲,也不出现“等效热降”的概念。对于工质进出热力系统的状态(蒸汽、热力或纯热量)不必进行分类处理。

作功效率法的另一个明显的优点,是对热力系统采用了网络化的处理方法。把热力系统看做一个具有若干个离散化的能级组成的热功转换网络。锅炉和热力系统的各种损失都是对这个网络的作用;每种作用都处于同等的地位,处理它们的方法也完全相同。

2.2　作功效率的递推算法

对于回路 j(如图 2-1),应用回路作功能力原理得:

$$(h_c - \sigma_j - h_j) \times 1 + \sigma_j \times \eta_\sigma + \eta_j \times q_j + \sum_{r=j+1}^{n+1} a_{j,r} \times \eta_r = 0 \tag{2-1}$$

整理得

$$\eta_j = [h_j + \sigma_j - h_c - \sigma_j \times \eta_\sigma - \sum_{r=j+1}^{n} a_{j,r} \times \eta_r]/q_j \tag{2-2}$$

其中,$j=0,1,\cdots,n$;由于 $\eta_{n+1}=0$,故 $r=n+1$ 项可以不写出。

利用式(2-2)可逐步递推求得各能级的 η_j。

由于再热蒸汽是从锅炉中吸热,故 $\eta_\sigma = \eta_0$。当回路不包括再热器时,$\sigma_j=0$;当回路包括再热器时,$\sigma_j=\sigma$(σ 为 1kg 工质通过再热器时的吸热量)。由于式(2-2)在计算 η_j 时要用到 η_0,故按式(2-2)计算再热机组的 η_j 时需要迭代,或者用其他方法先求出 η_0。

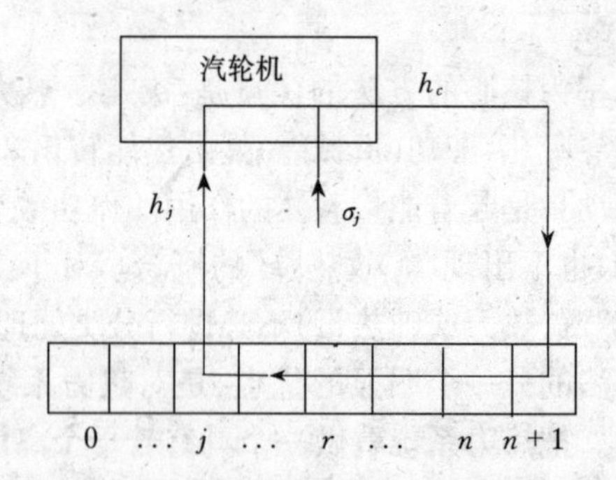

图 2-1　作功效率法的推导

2.3 作功效率递推算法的变形

对于再热机组,为了避免求 η_j 时进行迭代,可对吸热过程进行等效变换。令

$$q_j + a_{zr,j} \times \sigma_j = q_{j,eq} + \sigma_{j,eq} \tag{2-3}$$

$$q_j \times \eta_j + a_{zr,j} \times \sigma_j \times \eta_0 = q_{j,eq} \times \eta_{j,eq} + \sigma_{j,eq} \times \eta_{\sigma,eq} \tag{2-4}$$

其中,$a_{zr,j}$为 1kg 第 j 级抽汽流经再热器的流量;$q_{j,eq}$、$\sigma_{j,eq}$为 1kg 第 j 级抽汽等效吸热量和从再热器的等效吸热量;$\eta_{j,eq}$、$\eta_{\sigma,eq}$为第 j 级抽汽等效作功效率和再热器等效作功效率。

等效吸热过程从回路外总吸热量等于实际吸热过程;等效吸热过程的作功能力增加等于实际吸热过程的作功能力增加。这样,等效吸热过程在回路中的作用完全等效于实际吸热过程(如图 2-2)。

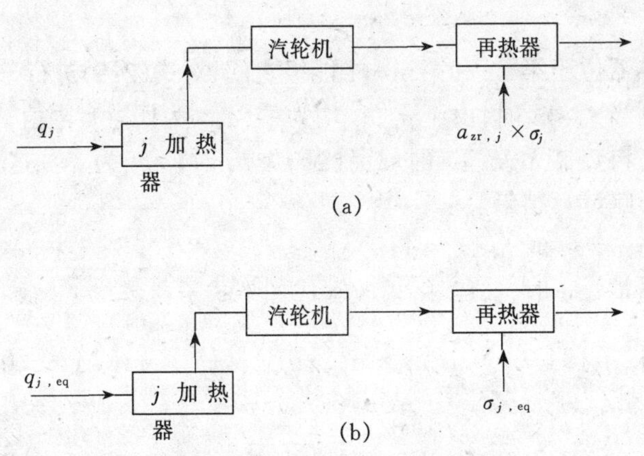

图 2-2　吸热过程等效变换

从式(2-3)、(2-4)可知,等效吸热过程不是惟一的。存在很多种选择。我们选取:$q_{j,eq} = q_j$;$\eta_{\sigma,eq} = 0$。这时,

$$\sigma_{j,\mathrm{eq}} = a_{\mathrm{zr},j} \times \sigma_j \tag{2-5}$$

$$\eta_{j,\mathrm{eq}} = \eta_j + a_{\mathrm{zr},j} \times \sigma_j / q_j \times \eta_0 \tag{2-6}$$

1kg 第 j 级非调节抽汽按等效过程流经汽轮机时的作功能力为:

$$\varphi_{\mathrm{eq},j} = h_j - h_c + \sigma_j \tag{2-7}$$

式(2-5)、(2-6)的解释是:将 1kg 第 j 级抽汽从再热器中获得的作功能力人为地计入第 j 级抽汽的作功能力中;工质从再热器吸热量仍为实际吸热量,但不再计其作功能力。

以等效吸热过程代替实际吸热过程重复第二节的推导,可得

$$\eta_{j,\mathrm{eq}} = [h_j + \sigma_j - h_c - \sum_{r=j+1}^{n} a_{j,r} \times \eta_{r,\mathrm{eq}}] / q_j \qquad (j = 0,1,\cdots,n) \tag{2-8}$$

将式(2-6)代入式(2-2),消去 η_j,并应用式(2-8)得

$$a_{\mathrm{zr},j} \times \sigma_j = \sigma_j - \sum_{r=j+1}^{n} (a_{\mathrm{zr},r} \times a_{j,r} \times \sigma_r / q_r) \qquad (j = 0,1,\cdots,n) \tag{2-9}$$

若再热器位于第 m 和第 $m+1$ 能级之间,对式(2-9)进行分析:

则当 $j > m$ 时,由于 σ_j、σ_r 均为零,$a_{\mathrm{zr},j}$ 为任意有限值,相当于回路与再热器无关。这时规定:当 $j > m$ 时,$a_{\mathrm{zr},j}$ 为零。这种规定不会影响计算结果。

当 $j = m$ 时,$a_{\mathrm{zr},m} = 1$;

当 $j < m$ 时,式(2-9)可改写成如下式子:

$$a_{\mathrm{zr},j} = 1 - \sum_{r=j+1}^{m} a_{\mathrm{zr},r} \times a_{j,r} / q_r \qquad (j = m-1,\cdots,0) \tag{2-10}$$

注意:$q_r = a_{r,r}$。

从式(2-9)、(2-10)可以看出,当再热器在热力系统中的位置确定时,根据热力系统的结构矩阵 A 就可以求出各能级 1kg 抽汽流经再热器的流量。式(2-10)为求再热器流量的通用公式。

根据式(2-8)求得各级的 $\eta_{j,\mathrm{eq}}$后,可由式(2-6)求出各级的 η_j。具体如下:

当 $j=0$ 时,

$$\eta_0=\frac{\eta_{0,\mathrm{eq}}\times q_0}{q_0+a_{\mathrm{zr},0}\times\sigma} \tag{2-11}$$

当 $j=1,\cdots\cdots,m$ 时,

$$\eta_j=\eta_{j,\mathrm{eq}}-\frac{a_{\mathrm{zr},j}\times\sigma\times\eta_0}{q_j} \tag{2-12}$$

当 $j>m$ 时,

$$\eta_j=\eta_{j,\mathrm{eq}} \tag{2-13}$$

2.4 用矩阵运算求 η_j 的方法

对于再热机组,直接用第一章的公式(1-8)求作功效率 η_j 时,需要迭代。为了避免迭代,需对公式(1-8)的算法进行改进。

将非调节抽汽作功向量 $\vec{\varphi}$写成

$$\vec{\varphi}=\vec{\varphi}_{\mathrm{eq}}-\eta_0\times\vec{\sigma} \tag{2-14}$$

其中,$\vec{\varphi}_{\mathrm{eq}}=[\varphi_{\mathrm{eq},0},\cdots,\varphi_{\mathrm{eq},j},\cdots,\varphi_{\mathrm{eq},n}]^{\mathrm{T}}$;$\vec{\sigma}=[\sigma_0,\cdots,\sigma_j,\cdots,\sigma_n]^{\mathrm{T}}$。

将作功效率向量 $\vec{e}$写为

$$\vec{e}=\vec{e}_{\mathrm{eq}}-\Delta\vec{e} \tag{2-15}$$

其中,$\vec{e}_{\mathrm{eq}}=[\eta_{\mathrm{eq},0},\cdots,\eta_{\mathrm{eq},j},\cdots,\eta_{\mathrm{eq},n}]^{\mathrm{T}}$;$\Delta\vec{e}=[\Delta\eta_0,\cdots,\Delta\eta_j,\cdots,\Delta\eta_n]^{\mathrm{T}}$;$\Delta\eta_j=\eta_{\mathrm{eq},j}-\eta_j$,$(j=0,\cdots,n)$。

将式(2-14)、(2-15)代入第一章式(1-8),并令 $A\times\vec{e}_{\mathrm{eq}}=\vec{\varphi}_{\mathrm{eq}}$,则有

$$A\times\Delta\vec{e}=\eta_0\times\vec{\sigma} \tag{2-16}$$

对于再热机组,$\vec{\sigma}\neq\vec{0}$。若再热器位于第 m 与第 $m+1$ 能级之间,则有

$$\vec{\sigma}=\sigma\times\vec{C} \tag{2-17}$$

其中，$\vec{C}=[\underbrace{1,\cdots,1}_{(m+1)\text{个}1},0,\cdots,0]^{T}$；

$$\Delta\vec{e}=\eta_0\times\sigma\times A^{-1}\to\vec{C} \tag{2-18}$$

令 $\vec{y}=A^{-1}\times\vec{C}=[y_0,\cdots,y_j,\cdots,y_n]^{T}$，则有

$$\Delta\vec{e}=\eta_0\times\sigma\times\vec{y} \tag{2-19}$$

由式(2-19)可知：$\Delta\eta_0=\eta_{eq,0}-\eta_0=\eta_0\times\sigma\times y_0$

$$\eta_0=\eta_{eq,0}/(1+\sigma\times y_0) \tag{2-20}$$

$$\eta_j=\eta_{eq,j}-\sigma\times y_j\times\eta_0 \tag{2-21}$$

其中，$j=1,\cdots,n$。(当 $j>m$ 时，容易证明：$y_j=0$)。

将式(2-20)、(2-21)与式(2-10)、(2-11)、(2-12)比较可得

$$y_j=a_{zr,j}/q_j,(j=0,\cdots,n) \tag{2-22}$$

2.5 热力系统经济性指标的计算

当不考虑热力系统的各种汽水损失和散热损失时，热力系统称为主循环。主循环的热耗率为

$$HR_0=\frac{3600}{\eta_{jx}\eta_d\eta_0}\quad[\text{kJ}/(\text{kW}\cdot\text{h})] \tag{2-23}$$

其中，η_{jx}、η_d 分别为机械效率和发电机效率。

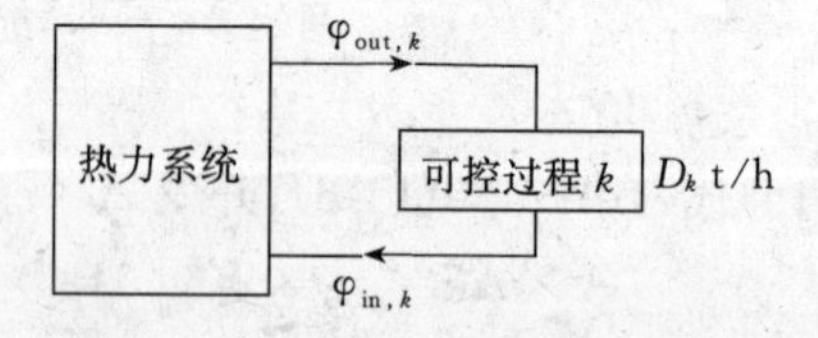

图 2-3　热力系统与外部过程的作用

若热力系统与外部可控过程 k 发生作用(如图 2-3)，流量为 D_k(t/h)，输出点的作功能力为 $\varphi_{out,k}$，返回点的作功能力为 $\varphi_{in,k}$，

则 1kg 工质的作功能力损失为

$$\Delta\varphi_k = \varphi_{out,k} - \varphi_{in,k} \tag{2-24}$$

机组并网运行时,为了保持电功率 P(MW)不变,主循环需要从锅炉增加的吸热量 ΔQ_k 为:

$$\Delta Q_k = \frac{\Delta\varphi_k \times D_k}{\eta_0} \quad (\mathrm{MJ/h}) \tag{2-25}$$

机组的热耗率增加为:

$$\Delta HR_k = \frac{\Delta\varphi_k \times D_k}{\eta_0 \times P} \quad [\mathrm{kJ/(kW \cdot h)}] \tag{2-26}$$

标准煤耗增加为:

$$\Delta B_k = \frac{34.12 \times \Delta\varphi_k \times D_k}{\eta_0 \eta_g \eta_{gd}} \times 10^{-3} \quad (\mathrm{kg/h}) \tag{2-27}$$

其中,η_g、η_{gd}分别为锅炉效率和管道效率。
由于 ΔB_k 不出现电功率 P,因此就热力系统局部定量分析而言,ΔB_k 是比 ΔHR_k 和热效率更好的热经济指标。

若热力系统中有多种局部变化,作功能力损失分别为 $\Delta\varphi_k$($k=1,\cdots,l$),则只需将上述各项分别累加即可得到相应的总损失指标。
机组的功率方程为:

$$Q_{总} - \sum \Delta Q_k = P \times HR_0 \tag{2-28}$$

其中,$Q_{总}$为热力系统从锅炉中吸收的总热量。

将式(2-28)两边同除以($q_0 + a_{zr,0} \times \sigma$),得

$$D_{总} = D_{主} + \sum x_k \times D_k \tag{2-29}$$

其中,$D_{总}$ 为汽轮机的总进汽量,t/h;$D_{主}$ 为用于发电的进汽量:

$$D_{主} = \frac{P \times HR_0}{q_0 + a_{zr,0} \times \sigma} \quad (\mathrm{t/h})$$

x_k 为第 k 种损失引起的进汽多耗系数:

$$x_k = \frac{\Delta\varphi_k}{\eta_0 \times (q_0 + a_{zr,0} \times \sigma)} \quad (k = 1,\cdots,l)$$

若机组为供热机组,则根据式(2-29)还可以作出其工况图。

2.6 给水泵焓升和功耗对锅炉能级效率的影响

在上述分析中,锅炉能级的作功效率 η_0 既未考虑给水泵焓升的影响,又未考虑给水泵的功耗。然而,给水泵是热力循环中的基本部件,在计算锅炉作功效率时,对于大中型机组,应根据系统的特点考虑给水泵在系统中所起的作用。给水泵一方面要消耗一部分功,使热力循环对外输出功量减少;另一方面,给水泵对给水的压缩作用使给水焓增加了,这个焓增量称为给水泵焓升。给水泵焓升在热力循环中仍具有一定的作功能力,使热力循环对外作功能力增加。

(1)若给水泵焓升在热力循环中的作功能力为 $\Delta\varphi_p$,只考虑给水泵焓升时的锅炉能级作功效率记为 η'_0,则

$$\eta'_0 = \frac{\eta_{0,eq} \times q_0 + \Delta\varphi_p}{q_0 + a_{zr,0} \times \sigma} \tag{2-30}$$

(2)若给水泵焓升在热力循环中的作功能力为 $\Delta\varphi_p$,给水泵功耗为 τ_p。同时考虑给水泵焓升和功耗时的锅炉能级作功效率为 η''_0,则

$$\eta''_0 = \frac{\eta_{0,eq} \times q_0 + \Delta\varphi_p - \tau_p}{q_0 + a_{zr,0} \times \sigma} \tag{2-31}$$

当需要考虑给水泵对热力循环的作用时,应以 η'_0 或 η''_0 代替 η_0 进行计算。

【例 2.1】 试验证:当 $m=1,2,3$ 时,再热器流量计算公式(2-10)的正确性。

(1)当 $m=1$ 时(如图 2-4),$a_{zr,1}=1$,

$$a_{zr,0}=1-a_{zr,1}\times a_{0,1}/q_1,$$

因为 $a_{0,1}=\tau_1, d_1=\tau_1/q_1$,所以

$$a_{zr,0}=1-d_1$$

故式(2-10)成立。

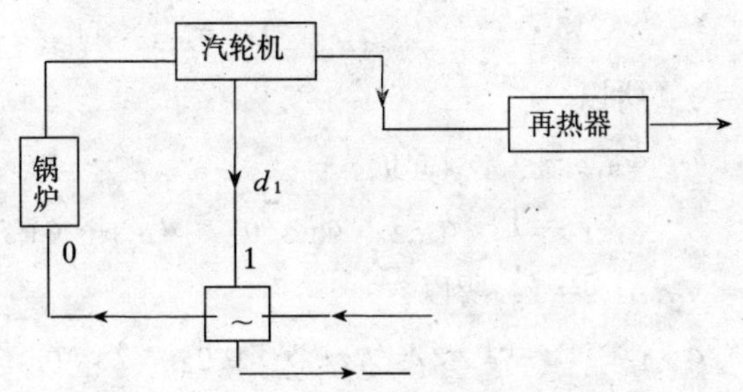

图 2-4 当 $m=1$ 时流经再热器流量的计算

(2)当 $m=2$ 时(如图 2-5),$a_{zr,2}=1$,

$$a_{zr,1}=1-a_{zr,2}\times a_{1,2}/q_2$$

因为 $a_{1,2}=\gamma_2$,所以

$$a_{zr,1}=1-\gamma_2/q_2,$$

$$a_{zr,0}=1-a_{zr,1}\times a_{0,1}/q_1-a_{zr,2}\times a_{0,2}/q_2,$$

因为 $a_{0,1}=\tau_1, a_{0,2}=\tau_2$,所以

$$a_{zr,0}=1-(1-\gamma_2/q_2)\times\tau_1/q_1-\tau_2/q_2$$

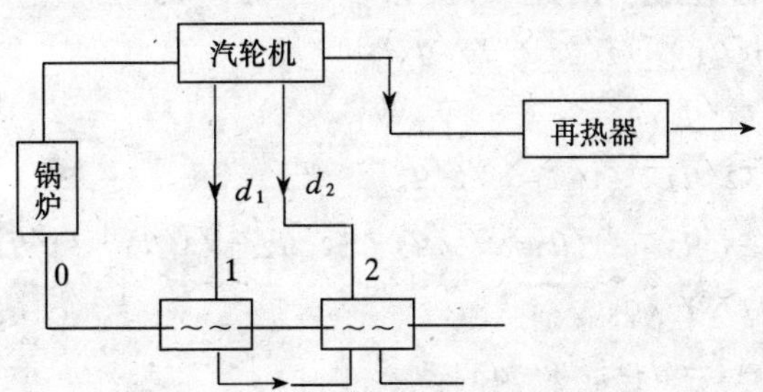

图 2-5 当 $m=2$ 时流经再热器流量的计算

因为 $d_1=\tau_1/q_1, d_2=(\tau_2-d_1\times\gamma_2)/q_2$，所以

$$a_{zr,0}=1-d_1-d_2$$

故式(2-10)成立。

(3)当 $m=3$ 时(如图 2-6)，$a_{zr,3}=1$，

$$a_{zr,2}=1-a_{zr,3}\times a_{2,3}/q_3,$$

因为 $a_{2,3}=\gamma_3$，所以

$$a_{zr,2}=1-\gamma_3/q_3,$$

$$a_{zr,1}=1-a_{zr,2}\times a_{1,2}/q_2-a_{zr,3}\times a_{1,3}/q_3,$$

因为 $a_{1,2}=\gamma_2, a_{1,3}=\gamma_3$，所以

$$\begin{aligned}a_{zr,1}&=1-(1-\gamma_3/q_3)\times\gamma_2/q_2-\gamma_3/q_3\\&=(1-\gamma_2/q_2)(1-\gamma_3/q_3),\end{aligned}$$

$$\begin{aligned}a_{zr,0}&=1-a_{zr,1}\times a_{0,1}/q_1-a_{zr,2}\times a_{0,2}/q_2\\&\quad-a_{zr,3}\times a_{0,3}/q_3\end{aligned}$$

因为 $a_{0,1}=\tau_1, a_{0,2}=\tau_2, a_{0,3}=\tau_3$，所以

$$\begin{aligned}a_{zr,0}&=1-\tau_1/q_1[(1-\gamma_2/q_2)(1-\gamma_3/q_3)]\\&\quad-\tau_2/q_2\times(1-\gamma_3/q_3)-\tau_3/q_3,\\&=1-\tau_1/q_1-(\tau_2/q_2-\tau_1/q_1\times\gamma_2/q_2)\\&\quad-(\tau_3/q_3-\tau_1/q_1\times\gamma_3/q_3-\tau_2/q_2\times\gamma_3/q_3\\&\quad+\tau_1/q_1\times\gamma_2/q_2\times\gamma_3/q_3),\end{aligned}$$

因为 $d_1=\tau_1/q_1$，

$d_2=\tau_2/q_2-\tau_1/q_1\times\gamma_2/q_2$，

$d_3=\tau_3/q_3-\tau_1/q_1\times\gamma_3/q_3-\tau_2/q_2\times\gamma_3/q_3+\tau_1/q_1\times\gamma_2/q_2\times\gamma_3/q_3$

所以 $a_{zr,0}=1-d_1-d_2-d_3$

故式(2-10)成立。

以上列举了再热器可能出现的 3 种情况。至此已全面验证了

式(2-10)的通用性。

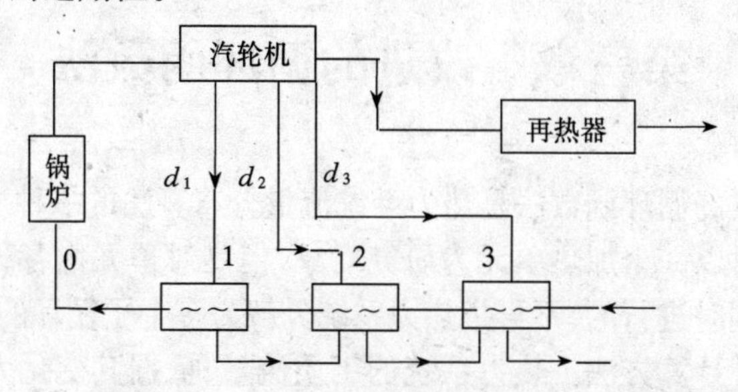

图 2-6　当 $m=3$ 时流经再热器流量的计算

第三章　改进的循环函数法

改进的循环函数法是热力系统流量分布算法的一种变形。推导公式时以一个加热单元为研究对象,但是对单元内各种损失的考虑是同时进行的,不再把热力系统分解为多个子循环的叠加,从而简化了计算方法。热力系统的工质流量,依据其变化方式可分为调节抽汽(疏水)和非调节抽汽两种形式。调节抽汽(疏水)的流量以及所携带的能量品质是由热力系统的调节设备(或工艺过程)决定的,对于热力系统流量计算而言是已知量;非调节抽汽量则取决于回热系统加热器的热平衡,是热力系统流量计算的待求量。热力系统流量计算的核心就是求取回热系统的非调节抽汽量。

本章所提供的是一套完整的方法,为了避免符号复杂化,本章对所用符号进行了重新定义。

3.1　回热系统简化原理

在回热系统中将汇集疏水的加热器连同向其排放疏水的表面式加热器看做一个整体,称为一个加热单元。典型的加热单元的型式,如图 3-1。

图 3-1 中,h_i、h_{Ti}、$\bar{t}_i$、$\bar{t}_{Fi}$,分别为第 i 号加热器的非调节抽汽焓、调节抽汽焓、出口主凝结水焓、疏水焓。d_i、d_{Fi}、d_{Ti}分别为第 i 号加热器的单元抽汽系数、单元疏水系数、单元调节抽汽系数。$\bar{t}_{Gn}$、d_{Gn}分别为单元主凝结水进口焓、单元进水系数。r_i、r_{Fi}为主凝结水、疏水在第 i 号加热器中的焓变化;q_i、q_{Ti}为非调节抽汽、调节抽汽在第 i 号加热器中的焓变化。对于表面式加热器,$r_i=\bar{t}_i-\bar{t}_{i+1}$,$r_{Fi}=\bar{t}_{Fi-1}-\bar{t}_{Fi}$,$q_i=h_i-\bar{t}_{Fi}$,$q_{Ti}=h_{Ti}-\bar{t}_{Fi}$。对于汇

集式加热器，选取进入该加热单元的主凝结水焓 $\bar{t}_{Gn}$ 作为汇集式加热器的计算能量的起点（这与传统的循环函数法不同），$r_n=\bar{t}_n-\bar{t}_{Gn}$，$r_{Fn}=\bar{t}_{Fn-1}-\bar{t}_{Gn}$，$q_n=h_n-\bar{t}_{Gn}$，$q_{Ti}=h_{Ti}-\bar{t}_{Gn}$。

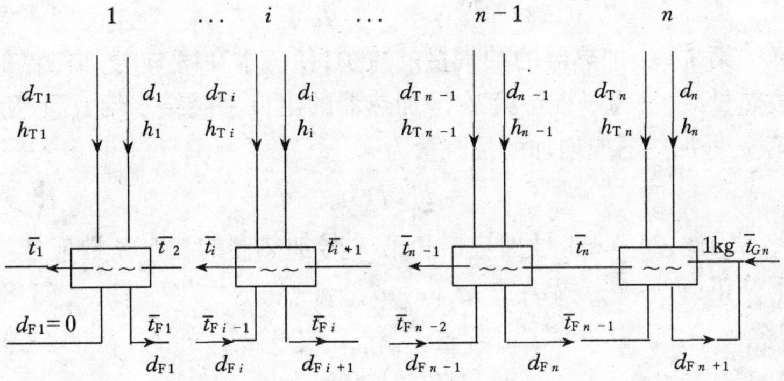

图 3-1 典型加热单元

加热单元的单元抽汽系数、单元疏水系数以汇集式加热器汇集非调节疏水之后的流量 1kg 为基准（这与传统的循环函数不同），根据表面式加热器的能量平衡和物质平衡，可得如下式子：

$$d_{Fi+1}=d_{Fi}+d_i+d_{Ti} \tag{3-1}$$

$$r_i/\eta=d_{Fi}\times r_{Fi}+d_i\times q_i+d_{Ti}\times q_{Ti} \tag{3-2}$$

其中，η 为加热器的热效率。

经整理得

$$d_{Fi+1}=d_{Fi}+d_{Ti}+r_i/\eta/q_i-d_{Fi}\times r_{Fi}/q_i-d_{Ti}\times q_{Ti}/q_i \tag{3-3}$$

其中，$d_{F1}=0$，$i=1,2,\cdots,n$。

加热单元的进水系数为

$$d_{Gn}=1-d_{Fn+1} \tag{3-4}$$

当有来自第 n 号加热器的热量使主凝结水在离开第 n 号加热器之后又升高了 Δr，第 n 号加热器需增加的抽汽量为

$$d_n^{**} = \Delta r / q_n \tag{3-5}$$

Δr 将排挤第 $n-1$ 号加热器的抽汽，使第 $n-1$ 号加热器的抽汽量减少量为

$$d_{n-1}^{*} = \Delta r / q_{n-1} \tag{3-6}$$

第 $n-1$ 加热器的抽汽量的减少，使疏水在第 n 号加热器的放热量减少，为了维持第 n 号加热器的出口主凝结水焓 $\bar{t}_n$ 不变，第 n 号加热器应增加的抽汽量为

$$d_n^{*} = d_{n-1}^{*} \times r_{Fn} / q_n \tag{3-7}$$

因此，第 $n-1$ 号加热器和第 n 号加热器的疏水系数应作如下修正：

$$d_{Fn} - d'_{Fn} = d_{n-1}^{*} \tag{3-8}$$

$$d'_{Fn+1} - d_{Fn+1} = d_n^{*} + d_n^{**} - d_{n-1}^{*} \tag{3-9}$$

引入单元系数 U：$U = \Delta r / d'_{Fn+1}$

将式(3-5)、(3-6)、(3-7)和 U 代入式(3-8)、(3-9)，经过整理得

$$d'_{Fn} = d_{Fn} - k_2 \quad (n \geqslant 2) \tag{3-10}$$

$$d'_{Fn+1} = d_{Fn+1} / k_1 \tag{3-11}$$

其中，$k_1 = 1 - U/q_{n-1} \times [q_{n-1}/q_n + r_{Fn}/q_n - 1]$ (3-12)

$$k_2 = U \times d'F_{n+1} / q_{n-1} \quad (n \geqslant 2) \tag{3-13}$$

单元进水系数为

$$d_{Gn} = 1 - d'_{Fn+1} \tag{3-14}$$

加热器的单元抽汽系数为

$$d_i = d_{Fi+1} - d_{Fi} - d_{Ti} \quad (i = 1, \cdots, n-2) \tag{3-15}$$

$$d'_{n-1} = d'_{Fn} - d_{Fn-1} - d_{Tn-1} \quad (n \geqslant 2) \tag{3-16}$$

$$d'_n = d'_{Fn+1} + d'_{Fn} - d_{Tn} \tag{3-17}$$

现作如下讨论：

(1)当加热单元只有一个加热器时，为了使上述公式仍能使用，需要合理地选择递推关系式的初值。为此目的，重新改写式(3-3)为

$$d_{\mathrm{F}i} = d_{\mathrm{F}i-1} + d_{\mathrm{T}i-1} + r_{i-1}/\eta/q_{i-1} - d_{\mathrm{F}i-1} \times r_{\mathrm{F}i-1}/q_{i-1}$$
$$- d_{\mathrm{T}i-1} \times q_{\mathrm{T}i-1}/q_{i-1} \quad (i = 2,\cdots,n,n+1) \qquad (3\text{-}3a)$$

初值选择为：$d_{\mathrm{F}1}=0(d'_{\mathrm{F}1}=0)$；$q_0=q_1$；$r_{\mathrm{F}1}=q_1$。

式(3-3a)、(3-10)～式(3-17)可以适用所有型式的加热单元。这组初值适用于所有类型的加热单元。

(2)U 的取值：对于如图 3-2(b)所示的加热单元，$\Delta r=d'_{Fn+1}\times(\bar{t}_{sn}-\bar{t}_n)$，$\bar{t}_{sn}$为第 n 号加热器抽汽压力下所对应的饱和水焓。所以，$U=\bar{t}_{sn}-\bar{t}_n$；对于如图 3-1、图 3-2(a)所示的加热单元，$\Delta r=0$，所以，$U=0$。这样，式(3-3a)、式(3-10)～(3-17)可以适用所有型式的加热单元。

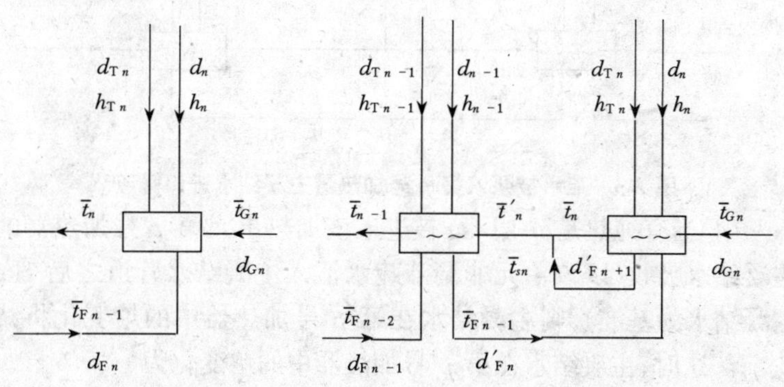

(a)混合式加热器　(b)疏水被泵入加热器出口的汇集式加热器

图 3-2

(3)当加热单元的第 p 号加热器的入口主凝结水管道上有焓值为 $\bar{t}_x$ 的调节疏水 $d_x$kg 进入主凝结水时(如图 3-3)，则主凝结水在第 p 号加热器的焓变化为

$$r'_p = r_p + d_x \times (\bar{t}_p - \bar{t}_x) \qquad (1 \leqslant p \leqslant n) \qquad (3\text{-}18)$$

主凝结水在第 1 号到第 $p-1$ 号加热器的焓变化为

$$r'_i = r_i + d_x \times r_i \quad (n \geqslant 3) \qquad (i = 1,\cdots\cdots,p-1) \qquad (3\text{-}19)$$

用 r'_i 代替式(3-3a)中的 $r_i(i=1,\cdots\cdots,p)$,而从第 $p+1$ 号到第 n 号加热器的主凝结水焓变化仍为 r_i,可用式(3-3a)、式(3-10)~(3-17)计算该加热单元的流量系数。这时,流出该加热单元的主凝结水流量为 $(1+d_x)$kg。若要求出相对于 1kg 流出该单元主凝结水流量,只需在上述计算的基础之上乘以修正系数 $[1/(1+d_x)]$ 即可。

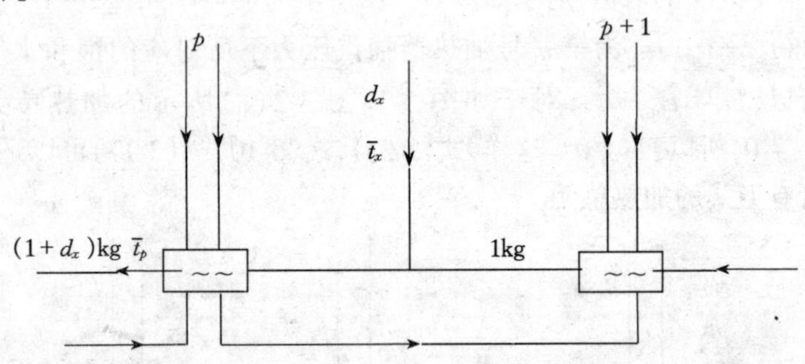

图 3-3　疏水被泵入第 p 号加热器主凝结水进口管道

(4)当有纯热是 q_xkJ/kg 被进入该加热单元第 p 号加热器的主凝结水吸收(以该单元非调节疏水汇入主凝结水管道之后 1kg 主凝结水为基准),则主凝结水在第 p 号加热器中的焓变化将减少 q_x。这时,主凝结水在第 p 号加热器中的焓变化为

$$r'_p = r_p - q_x \qquad (1 \leqslant p < n) \tag{3-20}$$

这时,用 r'_p 代替式(3-3a)中的 r_p,仍可用式(3-3a)、式(3-10)~(3-17)计算该加热单元的流量系数。

3.2　加热单元的通用函数

上节推导的加热单元流量分配公式是以 1kg 参考流量为前提的。本节将上节中的公式从适用于 1kg 参考流量外推到适用于任意参考流量。同时简化原始数据的处理过程。

一个加热单元可由以下变量来描述:

(1)单元内加热器的个数 n;

(2)加热单元的类型 U;

(3)加热器的效率 η;

(4)单元内各加热器的参数矩阵X,体积为 $n\times6$;

(5)计算时单元流量的参考值 gg(gg 为加热单元流向高压力侧加热单元的流量);

(6)单元内非调节抽汽流量相对于单元参考值的数值 $\vec{D}$,体积为 $1\times n$。$\vec{D}=[D_1,D_2,\cdots,D_n]$。

由这几个量可以完整地描述一个加热单元。

其中,矩阵 $\boldsymbol{X}$ 为:

$$\boldsymbol{X}=\begin{bmatrix} h_1 & \bar{t}_1 & \bar{t}_{F1} & h_{T1} & D_{T1} & Q_{x1} \\ h_2 & \bar{t}_2 & \bar{t}_{F2} & h_{T2} & D_{T2} & Q_{x2} \\ \cdots & \cdots & \cdots & \cdots & \cdots & \cdots \\ h_{n-1} & \bar{t}_{n-1} & \bar{t}_{Fn-1} & h_{Tn-1} & D_{Tn-1} & Q_{xn-1} \\ h_n & \bar{t}_n & \bar{t}_{Gn} & h_{Tn} & D_{Tn} & Q_{xn} \end{bmatrix}$$

$\boldsymbol{X}$ 矩阵中的D_{Ti}、Q_{xi}分别为第 i 号加热器的调节抽汽流量和纯加入热量(相对于参考值 gg)。由矩阵 $\boldsymbol{X}$ 与式(3-21)~(3-25)的对应关系可以作出矩阵 $\boldsymbol{Y}$,即

$$q_i = h_i - \bar{t}_{Fi} \tag{3-21}$$

$$r_i = \bar{t}_i - \bar{t}_{i+1} - Q_{xi}/gg \tag{3-22}$$

$$r_{Fi} = \bar{t}_{Fi-1} - \bar{t}_{Fi} \tag{3-23}$$

$$q_{Ti} = h_{Ti} - \bar{t}_{Fi} \quad (d_{Ti}\neq 0\text{时}) \tag{3-24}$$

$$d_{Ti} = D_{Ti}/gg \tag{3-25}$$

其中,$i=1,\cdots,n$。

$$\bar{t}_{F0} = h_1;\bar{t}_{n+1} = \bar{t}_{Fn} = \bar{t}_{Gn}$$

$$
\boldsymbol{Y}=\begin{bmatrix} q_1 & r_1 & r_{F1} & q_{T1} & d_{T1} \\ q_2 & r_2 & r_{F2} & q_{T2} & d_{T2} \\ \cdots & \cdots & \cdots & \cdots & \cdots \\ q_{n-1} & r_{n-1} & r_{Fn-1} & q_{Tn-1} & d_{Tn-1} \\ q_n & r_n & r_{Fn} & q_{Tn} & d_{Tn} \end{bmatrix}
$$

矩阵 $\boldsymbol{Y}$ 可以根据3.1节的通用公式完成加热单元的流量分配计算。具体计算步骤如下：

1)计算各加热器的疏水系数(单元加热器按逐级自流布置时)：

$$
d_{Fi}=d_{Fi-1}+d_{Ti-1}+r_{i-1}/(\eta\times q_{i-1}) - d_{Fi-1}\times r_{Fi-1}/q_{i-1}-d_{Ti-1}\times q_{Ti-1}/q_{i-1}
$$

其中，$i=2,\cdots,n,n+1$。

初值选择为：$d_{F1}=0; q_0=q_1$。

2)疏水系数的修正计算：

$$d_{Fn+1}\leftarrow d_{Fn+1}/[1-U/q_{n-1}\times(q_{n-1}/q_n+r_{Fn}/q_n-1)]$$

$$d_{Fn}\leftarrow d_{Fn}-U\times d_{Fn+1}/q_{n-1}\qquad (n\geqslant 2)$$

3)计算单元进水系数：

$$d_{Gn}=1-d_{Fn+1}$$

4)计算各加热器的单元抽汽系数：

$$d_i=d_{Fi+1}-d_{Fi}-d_{Ti}\qquad (i=1,\cdots,n)$$

最后将加热单元的流量值乘以 gg，得到相对于参考流量值的数值。

以上变量和公式可以写成函数形式如下：

$$DG_n=U3(n,U,\eta,\boldsymbol{X},\vec{D},gg)\tag{3-26}$$

该函数通过函数值返回单元相对于参考流量 gg 的单元进水系数

DG_n。此外,通过一维数组 $\vec{D}$ 返回相对于参考流量的单元非调节抽汽量。

3.3 回热系统流量分布计算

若热力系统有 z 个加热单元,从高压到低压依次为:$\lambda=1,\cdots,z$。

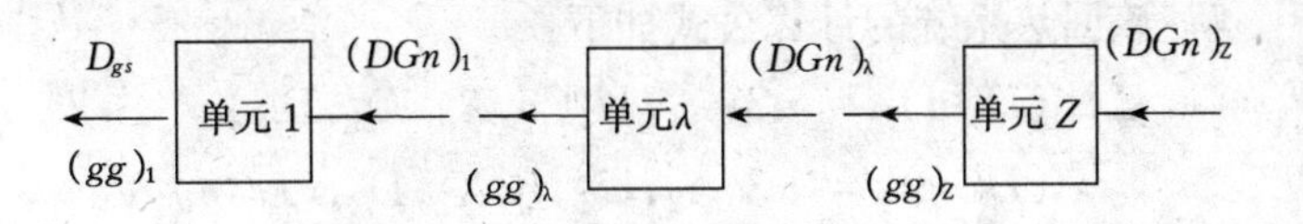

注:D_{gs}为锅炉给水温度

图 3-4 回热系统热力计算

从图 3-4 上可以看出,若按式(3-27)~(3-29)的方法来选择各加热单元的参考流量值,则各加热单元的调节抽汽(或疏水)的相对流量(即相对于各单元的参考流量值)等于其实际流量。

$$(gg)_1 = D_{gs} \tag{3-27}$$

$$\cdots$$

$$(gg)_\lambda = (DGn)_{\lambda-1} \tag{3-28}$$

$$\cdots$$

$$(gg)_z = (DGn)_{z-1} \tag{3-29}$$

因此,各单元的 $\boldsymbol{X}$ 矩阵的第 5 列和第 6 列可直接用实际值填写,这就突破了原来循环函数法的局限,使原始数据的处理更加简单,也更加直观。

关于改进的循环函数法的应用,见第六章。

【**例** 3.1】 某回热系统有 3 个加热单元,试列出计算该回热系统流量分布的计算公式。

解:该回热系统的计算公式如下:

$$(DGn)_1 = u3(n_1, U_1, \eta, X_1, D_1, D_{gs})$$
$$(DGn)_2 = u3(n_2, U_2, \eta, X_2, D_2, (DGn)_1)$$
$$(DGn)_3 = u3(n_3, U_3, \eta, X_3, D_3, (DGn)_2)$$

其中,D_{gs}为锅炉给水流量;$(DGn)_3$ 为流入凝汽器热井的凝结水流量。

【例 3.2】 某回热系统有 4 个加热单元,试列出计算该回热系统流量分布的计算公式。

解:该回热系统的计算公式如下:

$$(DGn)_1 = u3(n_1, U_1, \eta, X_1, D_1, D_{gs})$$
$$(DGn)_2 = u3(n_2, U_2, \eta, X_2, D_2, (DGn)_1)$$
$$(DGn)_3 = u3(n_3, U_3, \eta, X_3, D_3, (DGn)_2)$$
$$(DGn)_4 = u3(n_4, U_4, \eta, X_4, D_4, (DGn)_3)$$

其中,D_{gs}为锅炉给水流量;$(DGn)_4$ 为流入凝汽器热井的凝结水流量。

第二部分

节能理论的验证和应用

第四章　流量分布算法的应用

4.1　算法设计

热力系统并流量分布算法中，主要涉及到向量的加减、常数乘向量、向量相乘、向量和矩阵的运算。将这些基本运算编成C函数可以方便地进行热力系统的流量分布计算。

4.1.1　**向量相加**

(1)功能

$$\vec{a} \leftarrow \vec{a} + d \times \vec{b}$$

(2)函数语句

void vadd(n,a,b,d);

(3)形参说明

①n为向量维数；

②a[ ],b[ ]为相加向量；

③d为向量b的系数。

(4)函数子程序

```
void vadd(n,a,b,d)
int n;
double a[],b[],d;
{int i;
for(i=0;i<=n-1;i++)
   a[i]=a[i]+b[i]*d;
return;
```

```
}
```

4.1.2 向量相乘

(1)功能

计算 $\vec{a}\times\vec{b}$ 的值,返回值为向量的乘积。

(2)函数语句

double vmult(n,a,b);

(3)形参说明

①n 为向量维数;

②a[],b[]为两向量。

(4)函数子程序

```
double vmult(n,a,b)
int n;
double a[],b[];
{int i;
double x=0.0;
for(i=0;i<=n-1;i++)
   x=x+a[i]*b[i];
return(x);
}
```

4.1.3 常数乘向量

(1)功能

$$\vec{a} \leftarrow c \times \vec{a}$$

计算结果放在 a[]中,a[]中原来的内容将被破坏。

(2)函数语句

void cmult(n,c,a);

(3)形参说明

①n 为向量的维数；
②c 为常数；
③a[ ]为向量。
(4)函数子程序

```
void cmult(n,c,a)
int n;
double c,a[];
{int i;
for(i=0;i<=n-1;i++)
   a[i]=a[i]*c;
return;
}
```

4.1.4 流量分布函数

(1)功能

$$\vec{b} \leftarrow \vec{b} \times A^{-1}$$

b[ ]中的原内容将被破坏；
A 为上三角阵。
(2)函数语句

```
void llfb(n,a,b);
```

(3)形参说明
①n 为向量和矩阵的维数；
②a[ ]为结构矩阵 n×n；
③b[ ]为原始焓向量，计算后返回流量分布向量。
(4)函数子程序

```
void llfb(n,a,b)
int n;
double a[],b[];
```

```
{int i,j;
for(i=0;i〈=n-1;i++)
  for(j=i;j〈=n-1;j++)
  if(i==j)b[i]=b[i]/a[i*n+i];
  else b[j]=b[j]-b[i]*a[i*n+j];
return;
}
```

这几个函数放在文件名为:bxsf.c 的文件中。

【例 4.1】 某 N200 再热机组的热力系统结构矩阵为:

$$A=\begin{bmatrix} 2395.9 & 105.5 & 138.3 & 126.8 & 30.9 & 130.1 & 66.2 & 134.0 & 165.1 \\ 0.0 & 2091.9 & 155.4 & 106.8 & 147.7 & 130.1 & 66.2 & 134.9 & 165.1 \\ 0.0 & 0.0 & 2149.6 & 106.8 & 147.7 & 130.1 & 66.2 & 134.9 & 165.1 \\ 0.0 & 0.0 & 0.0 & 2598.3 & 147.7 & 130.1 & 66.2 & 134.9 & 165.1 \\ 0.0 & 0.0 & 0.0 & 0.0 & 2639.2 & 130.1 & 66.2 & 134.9 & 165.1 \\ 0.0 & 0.0 & 0.0 & 0.0 & 0.0 & 2524.5 & 118.3 & 215.7 & 165.1 \\ 0.0 & 0.0 & 0.0 & 0.0 & 0.0 & 0.0 & 2458.0 & 215.7 & 165.1 \\ 0.0 & 0.0 & 0.0 & 0.0 & 0.0 & 0.0 & 0.0 & 2582.6 & 165.1 \\ 0.0 & 0.0 & 0.0 & 0.0 & 0.0 & 0.0 & 0.0 & 0.0 & 2550.7 \end{bmatrix}$$

试编程求锅炉吸热的焓向量所引起的流量分配。

解:

$\vec{a}_Q=\{2395.9,0.0,0.0,0.0,0.0,0.0,0.0,0.0,0.0\}$;

$\vec{D}_Q=\vec{a}_Q\times A^{-1}=\{1.0,-0.05043,-0.06069,-0.04423,$
$-0.00301,-0.04337,-0.02058,-0.03827,-0.04786\}$;

程序清单为如下:

```
#include"stdio.h"
#include"bxsf.c"
main()
{int i;
  static double a[9][9]=
```

```
{2395.9, 105.5, 138.3, 126.8,  30.9, 130.1,  66.2, 134.0,  165.1,
  0.0, 2091.9, 155.4, 106.8, 147.7, 130.1,  66.2, 134.9,  165.1,
  0.0,  0.0, 2149.6, 106.8, 147.7, 130.1,  66.2, 134.9,  165.1,
  0.0,  0.0,  0.0, 2598.3, 147.7, 130.1,  66.2, 134.9,  165.1,
  0.0,  0.0,  0.0,  0.0, 2639.2, 130.1,  66.2,  134.9  165.1,
  0.0,  0.0,  0.0,  0.0,  0.0, 2524.5, 118.3,  215.7  165.1,
  0.0,  0.0,  0.0,  0.0,  0.0,  0.0, 2458.0,  215.7  165.1,
  0.0,  0.0,  0.0,  0.0,  0.0,  0.0,  0.0, 2582.6  165.1,
  0.0,  0.0,  0.0,  0.0,  0.0,  0.0,  0.0,   0.0 2550.7};
  static double b[9] = {2395.9};
  llfb(9,a,b);
  printf(“锅炉吸热引起的流量分布为：\n{”);
  for(i=0;i〈=8;i++)printf(“%.5f   ”,b[i]);
  printf(“};\n”);
  getch();
  }
```

【例 4.2】 某 N100 机组的热力系统结构矩阵为：

$$
\mathbf{A}=\begin{bmatrix}
2500.37 & 120.98 & 186.73 & 87.51 & 105.92 & 60.28 & 129.95 & 146.94 \\
0.0 & 2331.21 & 169.56 & 146.55 & 105.92 & 60.28 & 129.95 & 146.94 \\
0.0 & 0.0 & 2386.90 & 146.55 & 105.92 & 60.92 & 129.95 & 129.95 \\
0.0 & 0.0 & 0.0 & 2389.83 & 105.92 & 60.28 & 129.95 & 146.94 \\
0.0 & 0.0 & 0.0 & 0.0 & 2218.58 & 105.93 & 211.16 & 146.94 \\
0.0 & 0.0 & 0.0 & 0.0 & 0.0 & 2200.16 & 211.16 & 146.94 \\
0.0 & 0.0 & 0.0 & 0.0 & 0.0 & 0.0 & 2342.24 & 146.94 \\
0.0 & 0.0 & 0.0 & 0.0 & 0.0 & 0.0 & 0.0 & 2337.62
\end{bmatrix}
$$

非调节抽汽作功能力向量为：

$\vec{\varphi}=$

$\{1207.05, 958.78, 844.91, 701.29, 550.98, 426.63, 357.55, 205.99\}^{T}$；

若辅助抽汽在热力系统中的作用向量为：

$\vec{a}_{f2}=$

{0.0,0.0,0.0,2895.59,105.92,60.28,129.95,146.94};

试编程求 1kg 辅助抽汽在热力系统中的作功能力 φ_{f2}。

解:辅助抽汽引起的流量分布为:

$\vec{D}_{f2}=\vec{a}_{f2}\times A^{-1}=$

{0.00000,0.00000,0.00000,1.21163,-0.01010,-0.00351,-0.01035,-0.01168};

辅助抽汽在热力系统中的作功能力为:

$$\varphi_{f2}=\vec{D}_{f2}\times\vec{\varphi}=835.76312\ (\mathrm{kJ/kg})$$

具体编程计算如下:

```
#include"stdio.h"
#include"bxsf.c"
main()
{int i;
static double a[8][8]=
{2500.37, 120.98, 186.73,   87.51,  105.92,   60.28,  129.95, 146.94,
    0.0, 2331.21, 169.56,  146.55,  105.92,   60.28,  129.95, 146.94,
    0.0,     0.0, 2386.90, 146.55,  105.92,   60.28,  129.95, 146.94,
    0.0,     0.0,     0.0, 2389.83, 105.92,   60.28,  129.95, 146.94,
    0.0,     0.0,     0.0,     0.0, 2218.58, 105.93,  211.16, 146.94,
    0.0,     0.0,     0.0,     0.0,     0.0, 2200.16, 211.16, 146.94,
    0.0,     0.0,     0.0,     0.0,     0.0,     0.0, 2342.24, 146.94,
    0.0,     0.0,     0.0,     0.0,     0.0,     0.0,     0.0, 2337.62
};
static double f2[8]={0.0,0.0,0.0,2895.59,105.92,60.28,129.95,
146.94};
static double e[8]={1207.05,958.78,844.91,701.29,550.98,426.63,
357.55,205.99};
llfb(8,a,f2);
```

```
printf("f2 辅助抽汽在热力系统中的作功能力为:%.5f kJ/kg \n",
vmult(8,f2,e));
}
```

4.2 用流量分布算法计算非再热机组的热经济性

【例 4.3】 N100－8.82 型汽轮机的初压力为 8.82MPa,蒸汽初温为 535℃,排汽压力为 4.9kPa,额定功率为 100MW。给水泵为电动给水泵,机械效率与发电效率之积为:0.97。不考虑加热器的散热损失,给水泵焓升为 17.17kJ/kg。图 4-1 为 N100－8.82 型汽轮机回热系统计算简图。图上标有额定工况的值。试确定各项损失的大小。

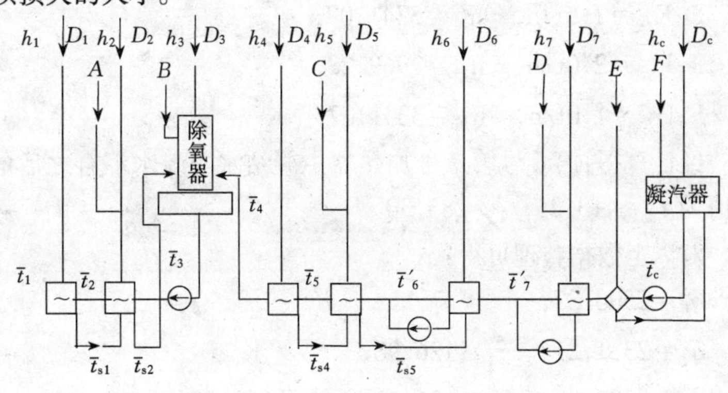

图 4-1
(◇为抽汽器)

$h_0 = 3475.04$,

$h_1 = 3226.77$, $\bar{t}_1 = 974.67$, $\bar{t}_{s1} = 895.56$,

$h_2 = 3112.90$, $\bar{t}_2 = 853.69$, $\bar{t}_{s2} = 726.00$,

$h_3 = 2969.28$, $\bar{t}_3 = 666.96$, $\theta_3 = 0.0$,

$h_4 = 2818.97$, $\bar{t}_4 = 579.45$, $\bar{t}_{s4} = 600.39$,

$h_5 = 2694.62$, $\bar{t}_5 = 473.53$, $\bar{t}_{s5} = 494.46$,

$h_6 = 2625.54$, $\overline{t'}_6 = 410.73$, $\theta_6 = 20.93$,

$h_7 = 2473.98$, $\overline{t'}_7 = 282.19$, $\theta_7 = 20.93$,

$h_c = 2267.99$, $\bar{t}_c = 136.36$。

以上焓值的单元是 kJ/kg。其中，$\overline{t'}_6$、$\overline{t'}_7$ 为与疏水混合前的焓值，θ 为汇集式加热器的上端差。

辅助抽汽为：

A：$D_{f1} = 3.2\text{t/h}$, $h_{f1} = 3341.07$,

B：$D_{f2} = 1.6\text{t/h}$, $h_{f2} = 3475.04$,

C：$D_{f3} = 1.5\text{t/h}$, $h_{f3} = 3341.07$,

D：$D_{f4} = 1.5\text{t/h}$, $h_{f4} = 3341.07$,

E：$D_{f5} = 2.0\text{t/h}$, $h_{f5} = 2969.28$,

F：$D_{f6} = 1.0\text{t/h}$, $h_{f6} = 3341.07$,

经计算得：第 6 号第 7 号加热器主凝结水与疏水汇合之后的焓值为 $\bar{t}_6 = 413.25$，$\bar{t}_7 = 283.30$。

对以上数据整理可得：

$q_0 = 2500.37$,

$q_1 = 2331.21$, $\tau_1 = 120.98$,

$q_2 = 2386.90$, $\tau_2 = 186.73$, $\gamma_2 = 169.56$,

$q_3 = 2389.83$, $\tau_3 = 87.51$, $\gamma_3 = 146.55$,

$q_4 = 2218.58$, $\tau_4 = 105.92$,

$q_5 = 2200.16$, $\tau_5 = 60.28$, $\gamma_5 = 105.93$,

$q_6 = 2342.24$, $\tau_6 = 129.95$, $\gamma_6 = 211.16$,

$q_7 = 2337.62$, $\tau_7 = 146.94$,

解：热力系统的结构矩阵为：

$$
\mathbf{A}=\begin{bmatrix}
2500.37 & 120.98 & 186.73 & 87.51 & 105.92 & 60.28 & 129.95 & 146.94\\
0.0 & 2331.21 & 169.56 & 146.55 & 105.92 & 60.28 & 129.95 & 146.94\\
0.0 & 0.0 & 2386.90 & 146.55 & 105.92 & 60.28 & 129.95 & 146.94\\
0.0 & 0.0 & 0.0 & 2389.83 & 105.92 & 60.28 & 129.95 & 146.94\\
0.0 & 0.0 & 0.0 & 0.0 & 2218.58 & 105.93 & 211.16 & 146.94\\
0.0 & 0.0 & 0.0 & 0.0 & 0.0 & 2200.16 & 211.16 & 146.94\\
0.0 & 0.0 & 0.0 & 0.0 & 0.0 & 0.0 & 2342.24 & 146.94\\
0.0 & 0.0 & 0.0 & 0.0 & 0.0 & 0.0 & 0.0 & 2337.62
\end{bmatrix}
$$

非调节抽汽的作功能力向量为：

$\vec{\varphi}=$

$\{1207.05, 958.78, 844.91, 701.29, 550.98, 426.63, 357.55, 205.99\}^{T}$；

锅炉的焓向量为：$\vec{a}_Q=$

$\{2500.37, 0.0, 0.0, 0.0, 0.0, 0.0, 0.0, 0.0\}$；

锅炉焓向量引起的工质的流量分布为：

$\vec{D}_Q=\vec{a}_Q\times A^{-1}=$

$\{1.00000, -0.05190, -0.07454, -0.02886, -0.04033, -0.02120, -0.04132, -0.04663\}$；

从锅炉吸热获得的作功能力为：

$$\varphi_Q = \vec{D}_Q \times \vec{\varphi} = 1018.42(\mathrm{kJ/kg})$$

给水泵焓向量为：

$\vec{a}_P=$

$\{0.0, 0.0, 17.17, 0.0, 0.0, 0.0, 0.0, 0.0\}$；

给水泵焓向量引起的流量分布为：

$\vec{D}_P=\vec{a}_P\times A^{-1}=$

$\{0.00000, 0.00000, 0.00719, -0.00044, -0.00032, -0.00017, -0.00033, -0.00037\}$；

给水泵焓向量具有的作功能力为：

$$\varphi_P = \vec{D}_P \times \vec{\varphi} = 5.32365 \text{ (kJ/kg)}$$

考虑给水泵焓升时的主循环作功能力为：1018.42415 + 5.32365 = 1023.7478 (kJ/kg)

考虑给水泵焓升时的主循环热效率为 η'_O = 1023.7478/2500.37 = 0.409439

当考虑给水泵焓升时的主循环热耗率为：

$$HR'_O = \frac{3600}{0.409439 \times 0.97} = 9064.46267 \text{ [kJ/(kW·h)]}$$

辅助抽汽作功损失计算：

(1)A 辅助抽汽的焓向量为：

$\vec{a}_{f1}$ =

{0.0,0.0,2615.07,146.55,105.92,60.28,129.95,146.94}；

A 辅助抽汽焓向量引起的流量分布为：

$\vec{D}_{f1} = \vec{a}_{f1} \times A^{-1}$ =

{0.00000,0.00000,1.09559,−0.00586,−0.00428,−0.00225,−0.00439,−0.00495}

A 抽汽离开汽轮机时的作功能力为：

$$\varphi_{out,f1} = h_{f1} - h_C = 1073.08 \text{ (kJ/kg)}$$

1kg A 辅助抽汽进入加热器时的总作功能力为：

$$\varphi_{in,f1} = \vec{D}_{f1} \times \vec{\varphi} = 915.65528 \text{ (kJ/kg)}$$

1kg A 抽汽的作功能力损失为：

$$\Delta\varphi_{f1} = \varphi_{out,f1} - \varphi_{in,f1} = 1073.08 - 915.65528 = 157.42472 \text{ (kJ/kg)}$$

3.2 t/h A 抽汽增加的热耗率为：

$$\Delta HR_{f1} = \frac{157.42472 \times 3.2}{0.409439 \times 100} = 12.30367 \text{ [kJ/(kW·h)]}$$

3.2 t/h A 辅助抽汽增加的耗煤量为：

$$\Delta B_{f1} = \frac{34.12 \times 157.42472 \times 3.2}{0.409439 \times 0.882} \times 10^{-3} = 47.60 \text{ (kg/h)}$$

(2)B 辅助抽汽的焓向量为：

$\vec{a}_{f2}=$

$\{0.0,0.0,0.0,2895.59,105.92,60.28,129.95,146.94\}$；

B 辅助抽汽焓向量引起的流量分布为：

$\vec{D}_{f2}=\vec{a}_{f2}\times A^{-1}=$

$\{0.00000,0.00000,0.00000,1.21163,-0.01010,-0.00531,-0.01035,-0.01168\}$；

B 抽汽离开汽轮机时的作功能力为：

$$\varphi_{\text{out},f2}=h_{f2}-h_C=1207.05\ (\text{kJ/kg})$$

B 进入加热器时的作功能力为：

$$\varphi_{\text{in},f2}=\vec{D}_{f2}\times\vec{\varphi}=835.76312\ (\text{kJ/kg})$$

1kg B 抽汽的作功能力损失为：

$$\Delta\varphi_{f2}=\varphi_{\text{out},f2}-\varphi_{in,f2}=1207.05-835.76312=371.28688\ (\text{kJ/kg})$$

1.6 t/h B 抽汽增加的热耗率为：

$$\Delta HR_{f2}=\frac{371.28688\times1.6}{0.409439\times100}=14.50911\ [\text{kJ/(kW}\cdot\text{h)}]$$

1.6 t/h B 辅助抽汽增加的耗煤量为：

$$\Delta B_{f2}=\frac{34.12\times371.28688\times1.6}{0.409439\times0.882}\times10^{-3}=56.13\ (\text{kg/h})$$

(3)C 辅助抽汽的焓向量为：

$\vec{a}_{f3}=$

$\{0.0,0.0,0.0,0.0,0.0,2846.61,211.16,146.94\}$；

C 辅助抽汽焓向量引起的流量分布为：

$\vec{D}_{f3}=\vec{a}_{f3}\times A^{-1}=$

$\{0.00000,0.00000,0.00000,0.00000,0.00000,1.29382,-0.02649,-0.01680\}$；

C 抽汽离开汽轮机时的作功能力为：

$$\varphi_{\text{out},f3}=h_{f3}+h_C=1073.08\ (\text{kJ/kg})$$

C进入加热器时的作功能力为：

$$\varphi_{in,f3} = \vec{D}_{f3} \times \vec{\varphi} = 539.04971\ (kJ/kg)$$

1kg C抽汽的作功能力损失为：

$$\Delta\varphi_{f3} = \varphi_{out,f3} - \varphi_{in,f3} = 1073.08 - 539.04971 = 534.03029\ (kJ/kg)$$

1.5t/h C抽汽增加的热耗率为：

$$\Delta HR_{f3} = \frac{534.03029 \times 1.5}{0.409439 \times 100} = 19.56449\ [kJ/(kW \cdot h)]$$

1.5t/h C辅助抽汽增加的耗煤量为：

$$\Delta B_{f3} = \frac{34.12 \times 534.03029 \times 1.5}{0.409439 \times 0.882} \times 10^{-3} = 75.68\ (kg/h)$$

(4)D辅助抽汽的焓向量为：

$\vec{a}_{f4} =$

$\{0.0,0.0,0.0,0.0,0.0,0.0,0.0,3204.71\}$;

D辅助抽汽焓向量引起的流量分布为：

$\vec{D}_{f4} = \vec{a}_{f4} \times A^{-1} =$

$\{0.00000, 0.00000, 0.00000, 0.00000, 0.00000, 0.00000, 0.00000, 1.37093\}$;

D抽汽离开汽轮机时的作功能力为：

$$\varphi_{out,f4} = h_{f4} - h_C = 1073.08\ (kJ/kg)$$

D进入加热器时的作功能力为：

$$\varphi_{in,f4} = \vec{D}_{f4} \times \vec{\varphi} = 282.39757\ (kJ/kg)$$

1kg D抽汽的作功能力损失为：

$$\Delta\varphi_{f4} = \varphi_{out,f4} - \varphi_{in,f4} = 1073.08 - 282.39757 = 790.68243\ (kJ/kg)$$

1.5t/h D抽汽增加的热耗率为：

$$\Delta HR_{f4} = \frac{790.68243 \times 1.5}{0.409439 \times 100} = 28.96708\ [kJ/(kW \cdot h)]$$

1.5t/h D辅助抽汽增加的耗煤量为：

$$\Delta B_{f4} = \frac{34.12 \times 790.68243 \times 1.5}{0.409439 \times 0.882} \times 10^{-3} = 112.06\ (kg/h)$$

(5)E 辅助抽汽的焓向量为:

$\vec{a}_{f5}=\{0.0,0.0,0.0,0.0,0.0,0.0,0.0,2550.60\}$;

E 辅助抽汽焓向量引起的流量分布为:

$\vec{D}_{f5}=\vec{a}_{f5}\times A^{-1}=$

$\{0.00000, 0.00000, 0.00000, 0.00000, 0.00000, 0.00000, 0.00000, 1.09111\}$;

E 抽汽离开汽轮机时的作功能力为:

$$\varphi_{\text{out},f5}=h_{f5}-h_C=701.29\ (\text{kJ/kg})$$

E 进入加热器时的作功能力为:

$$\varphi_{\text{in},f5}=\vec{D}_{f5}\times\vec{\varphi}=22.75770\ (\text{kJ/kg})$$

1kg E 抽汽的作功能力损失为:

$$\Delta\varphi_{f5}=\varphi_{\text{out},f5}-\varphi_{\text{in},f5}=701.29-224.75770=476.5323\ (\text{kJ/kg})$$

2.0t/h E 抽汽增加的热耗率为:

$$\Delta HR_{f5}=\frac{476.5323\times 2.0}{0.409439\times 100}=23.2774\ [\text{kJ/(kW}\cdot\text{h)}]$$

2.0t/h E 辅助抽汽增加的耗煤量为:

$$\Delta B_{f5}=\frac{34.12\times 476.5323\times 2.0}{0.409439\times 0.882}\times 10^{-3}=90.05\ (\text{kg/h})$$

(6) F 辅助抽汽焓向量为:

$\vec{a}_{f6}=\{0.0,0.0,0.0,0.0,0.0,0.0,0.0,0.0\}$;

F 辅助抽汽焓向量引起的流量分布为:

$\vec{D}_{f6}=\vec{a}_{f6}\times A^{-1}=$

$\{0.0,0.0,0.0,0.0,0.0,0.0,0.0,0.0,0.0\}$;

F 抽汽离开汽轮机时的作功能力为:

$$\varphi_{\text{out},f6}=h_{f6}-h_c=1073.08\ (\text{kJ/kg})$$

F 进入加热器时的作功能力为:

$$\varphi_{\text{in},f6}=\vec{D}_{f6}\times\vec{\varphi}=0.0\ (\text{kJ/kg})$$

1kg F 抽汽的作功能力损失为:

$$\Delta\varphi_{f6}=\varphi_{out,f6}-\varphi_{in,f6}=1073.08-0.0=1073.08\ (kJ/kg)$$

1.0t/h F 抽汽增加的热耗率为：

$$\Delta HR_{f6}=\frac{1073.08\times1.0}{0.409439\times100}=26.20857\ [kJ/(kW\cdot h)]$$

1.0t/h F 辅助抽汽增加的耗煤量为：

$$\Delta B_{f6}=\frac{34.12\times1073.08\times1.0}{0.409439\times0.882}\times10^{-3}=101.39\ (kg/h)$$

考虑以上各种损失之后的热耗率为：9189.2930 kJ/(kW·h)。用改进的循环函数法的计算值为 9189.2926kJ/(kW·h)（见第六章）。用循环函数法手算结果为 9189.2860kJ/(kW·h)（见文献[2]）。

上述计算与文献[2]的计算结果比较如表 4-1。从中可以看出：两种算法是一致的。

表 4-1　　流量分布算法与循环函数法的比较

	流量分布算法	循环函数法[2]
主循环的热耗率	9064.4627	9064.3646
A 辅汽增加的热耗率	12.3037	12.3034
B 辅汽增加的热耗率	14.5091	14.5089
C 辅汽增加的热耗率	19.5645	19.5694
D 辅汽增加的热耗率	28.9671	28.9836
E 辅汽增加的热耗率	23.2774	23.3475
F 辅汽增加的热耗率	26.2086	26.2083
考虑各种损失的热耗率	9189.2930	9189.2860

4.3　用流量分布算法计算再热机组的热经济性

【例 4.4】　N200－12.75/535/535 型汽轮机的初压力为 12.75MPa，蒸汽初温为 535℃，排汽压力为 5.2kPa，额定功率为

200MW。机械效率为 0.985,发电机效率为 0.99。锅炉及管道效率为 0.9。图 4-2 为 N200－12.75/535/535 型汽轮机回热系统计算简图。图上标有额定工况的值。

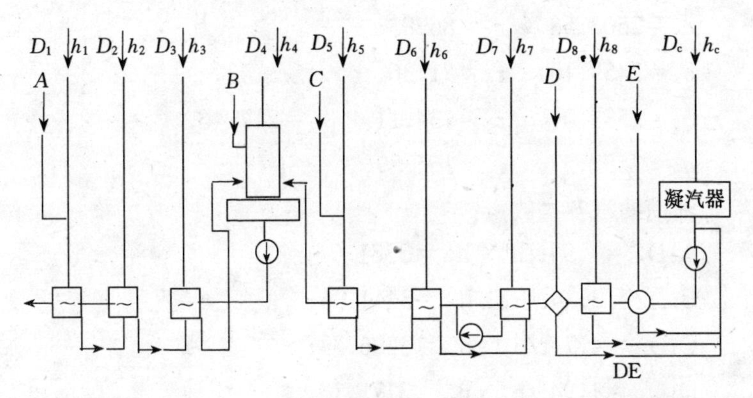

图 4-2

(◇为轴封加热器;○为抽汽器;DE 为轴封加热器疏水,该疏水注入凝结水泵入口)

$h_0 = 3432.07$;

$h_1 = 3139.26$, $\bar{t}_1 = 1038.41$, $\bar{t}_{s1} = 1045.78$;

$h_2 = 3042.63$, $\bar{t}_2 = 934.20$, $\bar{t}_{s2} = 834.68$;

$h_3 = 3385.24$, $\bar{t}_3 = 797.92$, $\bar{t}_{s3} = 784.86$;

$h_4 = 3277.22$, $\bar{t}_4 = 666.96$, $\theta_3 = 0.0$;

$h_5 = 3105.98$, $\bar{t}_5 = 598.88$, $\bar{t}_{s5} = 602.40$;

$h_6 = 2983.14$, $\bar{t}_6 = 512.05$, $\bar{t}_{s6} = 523.98$;

$h_7 = 2889.56$, $\overline{t'}_7 = 438.90$, $\theta_7 = 16.75$;

$h_8 = 2693.20$, $\bar{t}_8 = 306.52$, $\theta_8 = 0.0$;

$h_c = 2437.14$, $\bar{t}_c = 140.63$;

经计算得:$\bar{t}_7 = 440.69$ kJ/kg。

$q_0 = 2394.56$;

$q_1 = 2093.48$, $\tau_1 = 104.21$,

$q_2 = 2207.95$， $\tau_2 = 136.28$， $\gamma_2 = 211.10$，

$q_3 = 2600.38$， $\tau_3 = 130.96$， $\gamma_3 = 49.82$，

$q_4 = 2678.34$， $\tau_4 = 68.08$， $\gamma_4 = 185.98$

$q_5 = 2503.58$， $\tau_5 = 86.83$；

$q_6 = 2459.16$， $\tau_6 = 71.36$， $\gamma_6 = 78.42$，

$q_7 = 2583.04$， $\tau_7 = 134.11$， $\gamma_7 = 217.46$，

$q_8 = 2552.57$， $\tau_8 = 165.89$，

辅助抽汽各参数为：

A:$D_{f1} = 1.94$t/h， $h_{f1} = 3381.64$；

B:$D_{f2} = 3.36$t/h， $h_{f2} = 3444.06$；

C:$D_{f3} = 4.71$t/h， $h_{f3} = 3286.34$；

D:$D_{f4} = 1.94$t/h， $h_{f4} = 3172.13$；

E:$D_{f5} = 0.83$t/h， $h_{f5} = 3098.57$；

DE:$D_{f6} = 1.94$t/h， $h_{f6} = 390.88$。

【例 4.5】 热力系统的结构矩阵为：

$$A = \begin{bmatrix} 2394.56 & 104.21 & 136.28 & 130.96 & 68.08 & 86.83 & 71.36 & 134.11 & 165.89 \\ 0.0 & 2093.48 & 211.10 & 49.82 & 185.98 & 86.83 & 71.36 & 134.11 & 165.89 \\ 0.0 & 0.0 & 2207.95 & 49.82 & 185.98 & 86.83 & 71.36 & 134.11 & 165.89 \\ 0.0 & 0.0 & 0.0 & 2600.38 & 185.98 & 86.83 & 71.36 & 134.11 & 165.89 \\ 0.0 & 0.0 & 0.0 & 0.0 & 2678.34 & 86.83 & 71.36 & 134.11 & 165.89 \\ 0.0 & 0.0 & 0.0 & 0.0 & 0.0 & 2503.58 & 78.42 & 217.46 & 165.89 \\ 0.0 & 0.0 & 0.0 & 0.0 & 0.0 & 0.0 & 2459.16 & 217.46 & 165.89 \\ 0.0 & 0.0 & 0.0 & 0.0 & 0.0 & 0.0 & 0.0 & 2583.04 & 165.89 \\ 0.0 & 0.0 & 0.0 & 0.0 & 0.0 & 0.0 & 0.0 & 0.0 & 2552.57 \end{bmatrix}$$

非调节抽汽的作功能力向量(包括再热器吸热增加的作功能力)为：

$\vec{\varphi}_{eq} =$

{1495.86，1202.15，1105.52，948.10，840.08，668.84，

546.00,452.42,256.06$\}^{T}$;

锅炉的焓向量(不包括再热器的吸热量)为:

$\vec{a}_Q =$

{2394.56,0.0,0.0,0.0,0.0,0.0,0.0,0.0,0.0};

锅炉焓向量引起的工质的流量分布为:

$\vec{D}_Q = \vec{a}_Q \times A^{-1} =$

{1.0, -0.04978, -0.05696, -0.04832, -0.01465, -0.02880, -0.02318, -0.03873, -0.04807};

从锅炉吸热获得的作功能力为:

$$\varphi_Q = \vec{D}_Q \times \vec{\varphi} = 1253.18237 \ (\mathrm{kJ/kg})$$

1kg 主蒸汽流经再热器的流量为:

$$a_{Zr} = 1.00000 - 0.04978 - 0.05696 = 0.89326 \ (\mathrm{kg})$$

热力系统从锅炉总吸热量为:

$2394.56 + 0.89326 \times 500.03 = 2841.21680 \ (\mathrm{kJ/kg})$

给水泵焓向量为:

$\vec{a}_P =$ {0.0,0.0,0.0,23.83,0.0,0.0,0.0,0.0,0.0};

给水泵焓向量引起的流量分布为:

$\vec{D}_P = \vec{a}_P \times A^{-1} =$

{0.0,0.0,0.0,0.00916, -0.00064, -0.00030, -0.00024, -0.00040, -0.00049};

给水泵焓向量具有的作功能力为:

$$\varphi_P = \vec{D}_P \times \vec{\varphi}_{eq} = 7.51969 (\mathrm{kJ/kg})$$

考虑给水泵焓升时的主循环作功能力为:

$1253.18237 + 7.51969 = 1260.70206 \ (\mathrm{kJ/kg})$

考虑给水泵焓升时的主循环热效率为

$\eta'_O = 1260.70206 / 2841.21680 = 0.44372$

当考虑给水泵焓升时的主循环热耗率为:

$$HR'_O = \frac{3600}{0.44372 \times 0.985 \times 0.99} = 8319.99350\ [\text{kJ}/(\text{kW}\cdot\text{h})]$$

扣除再热器吸热量作功能力之后的作功能力向量为：

$\vec{\varphi} = \{1273.98669, 980.27669, 883.64669, 948.10, 840.08, 668.84, 546.00, 452.42, 256.06\}$；

辅助抽汽热耗率的计算：

(1)A 辅助抽汽的焓向量为：

$\vec{a}_{f1} =$

$\{0.0, 2335.86, 211.1, 49.82, 185.98, 86.83, 71.36, 134.11, 165.89\}$；

A 辅助抽汽焓向量引起的流量分布为：

$\vec{D}_{f1} = \vec{a}_{f1} \times A^{-1} =$

$\{0.0, 1.11578, -0.01107, -0.00201, -0.00713, -0.00331, -0.00267, -0.00446, -0.00553\}$；

A 抽汽离开汽轮机时的作功能力为：

$$\varphi_{\text{out}.f1} = h_{f1} - h_C + (1 - \eta'_O) \times \sigma = 1222.65669\ (\text{kJ/kg})$$

不包括再热器吸热时，1kg A 辅助抽汽进入加热器时的总作功能力为：

$$\varphi_{\text{in}.f1} = \vec{D}_{f1} \times \vec{\varphi} = 1068.98991\ (\text{kJ/kg})$$

1kg A 抽汽的作功能力损失为：

$$\Delta\varphi_{f1} = \varphi_{\text{out}.f1} - \varphi_{\text{in}.f1} = 1222.65669 - 1068.98991 = 157.667\ (\text{kJ/kg})$$

1.94 t/h A 抽汽增加的热耗率为：

$$\Delta HR_{f1} = \frac{153.667 \times 1.94}{0.44372 \times 200} = 3.35926\ [\text{kJ}/(\text{kW}\cdot\text{h})]$$

1.94 t/h A 辅助抽汽增加的耗煤量为：

$$\Delta B_{f1} = \frac{43.12 \times 153.66 \times 1.94}{0.44372 \times 0.9} \times 10^{-3} = 25.47\ (\text{kg/h})$$

(2)B 辅助抽汽的焓向量为：

$\vec{a}_{f2}=$

$\{0.0,0.0,0.0,0.0,2845.18,86.83,71.36,134.11,165.89\}$；

B 辅助抽汽焓向量引起的流量分布为：

$\vec{D}_{f2}=\vec{a}_{f2}\times A^{-1}=$

$\{0.0,0.0,0.0,0.0,1.06229,-0.00216,-0.00174,-0.00291,-0.00361\}$；

B 抽汽离开汽轮机时的作功能力为：

$$\varphi_{out,f2}=h_{f2}-h_C=1006.92\ (kJ/kg)$$

B 进入加热器时的作功能力为：

$$\varphi_{in,f2}=\vec{D}_{f2}\times\vec{\varphi}=887.77813\ (kJ/kg)$$

1kg B 抽汽的作功能力损失为：

$$\Delta\varphi_{f2}=\varphi_{out,f2}-\varphi_{in,f2}=1006.92-887.77813=119.14187\ (kJ/kg)$$

3.36 t/h B 抽汽增加的热耗率为：

$$\Delta HR_{f2}=\frac{119.14187\times 3.36}{0.44372\times 200}=4.510915\ [kJ/(kW\cdot h)]$$

3.36 t/h B 辅助抽汽增加的耗煤量为：

$$\Delta B_{f2}=\frac{34.12\times 110.14187\times 3.36}{0.44372\times 0.9}\times 10^{-3}=34.02\ (kg/h)$$

(3)C 辅助抽汽的焓向量为：

$\vec{a}_{f3}=$

$\{0.0,0.0,0.0,0.0,0.0,2683.94,78.42,217.46,165.89\}$；

C 辅助抽汽焓向量引起的流量分布为：

$\vec{D}_{f3}=\vec{a}_{f3}\times A^{-1}=$

$\{0.0,0.0,0.0,0.0,0.0,1.07204,-0.00230,-0.00587,-0.00415\}$；

C 抽汽离开汽轮机时的作功能力为：

$$\varphi_{out,f3} = h_{f3} - h_C = 849.20\ (kJ/kg)$$

C进入加热器时的作功能力为：

$$\varphi_{in,f3} = \vec{D}_{f3} \times \vec{\varphi} = 712.05016\ (kJ/kg)$$

1kg C抽汽的作功能力损失为：

$$\Delta\varphi_{f3} = \varphi_{out,f3} - \varphi_{in,f3} = 849.20 - 712.05016$$
$$= 137.14984\ (kJ/kg)$$

4.71t/h C抽汽增加的热耗率为：

$$\Delta HR_{f3} = \frac{137.14984 \times 4.71}{0.44372 \times 200} = 7.27909\ [kJ/(kW \cdot h)]$$

4.71t/h C辅助抽汽增加的耗煤量为：

$$\Delta B_{f3} = \frac{34.12 \times 137.14984 \times 4.71}{0.44372 \times 0.9} \times 10^{-3} = 55.19\ (kg/h)$$

(4)D辅助抽汽的焓向量为：

$\vec{a}_{f4} =$

$\{0.0,0.0,0.0,0.0,0.0,0.0,0.0,2781.25\}$；

D辅助抽汽焓向量引起的流量分布为：

$\vec{D}_{f4} = \vec{a}_{f4} \times A^{-1} =$

$\{0.0,0.0,0.0,0.0,0.0,0.0,0.0,1.07674,-0.06998\}$；

D抽汽离开汽轮机时的作功能力为：

$$\varphi_{out,f4} = h_{f4} - h_C = 734.99\ (kJ/kg)$$

D进入加热器时的作功能力为：

$$\varphi_{in,f4} = \vec{D}_{f4} \times \vec{\varphi} = 469.21837\ (kJ/kg)$$

1kg D抽汽的作功能力损失为：

$$\Delta\varphi_{f4} = \varphi_{out,f4} - \varphi_{in,f4}$$
$$= 734.99 - 469.21837$$
$$= 265.77163\ (kJ/kg)$$

1.94t/h D抽汽增加的热耗率为：

$$\Delta HR_{f4} = \frac{265.77163 \times 1.94}{0.44372 \times 200} = 5.80994 \ [\text{kJ/(kW} \cdot \text{h)}]$$

1.94t/h D 辅助抽汽增加的耗煤量为：

$$\Delta B_{f4} = \frac{34.12 \times 265.77163 \times 1.94}{0.44372 \times 0.9} \times 10^{-3} = 44.05 \ (\text{kg/h})$$

(5)E 辅助抽汽的焓向量为：

$\vec{a}_{f5} =$

{0.0,0.0,0.0,0.0,0.0,0.0,0.0,0.0,2957.94}；

E 辅助抽汽焓向量引起的流量分布为：

$\vec{D}_{f5} = \vec{a}_{f5} \times A^{-1} =$

{0.0,0.0,0.0,0.0,0.0,0.0,0.0,0.0,1.15881}；

E 抽汽离开汽轮机时的作功能力为：

$$\varphi_{\text{out},f5} = h_{f5} - h_C = 661.43 \ (\text{kJ/kg})$$

E 进入加热器时的作功能力为：

$$\varphi_{\text{in},f5} = \vec{D}_{f5} \times \vec{\varphi} = 296.72452 \ (\text{kJ/kg})$$

1kg E 抽汽的作功能力损失为：

$$\Delta\varphi_{f5} = \varphi_{\text{out},f5} - \varphi_{\text{in},f5} = 661.43 - 296.72452 = 364.70548 \ (\text{kJ/kg})$$

0.83t/h E 抽汽增加的热耗率为：

$$\Delta HR_{f5} = \frac{364.70548 \times 0.83}{0.44372 \times 200} = 3.410997 \ [\text{kJ/(kW} \cdot \text{h)}]$$

0.83t/h E 辅助抽汽增加的耗煤量为：

$$\Delta B_{f5} = \frac{34.12 \times 364.70548 \times 0.83}{0.44372 \times 0.9} \times 10^{-3} = 25.86 \ (\text{kg/h})$$

(6) DE 辅助抽汽焓向量为：

$\vec{a}_{f6} =$

{0.0,0.0,0.0,0.0,0.0,0.0,0.0,0.0,250.25}；

DE 辅助疏水焓向量引起的流量分布为：

$\vec{D}_{f6} = \vec{a}_{f6} \times A^{-1} =$

$\{0.0,0.0,0.0,0.0,0.0,0.0,0.0,0.0,0.09804\}$;

DE 进入加热器时的作功能力为:

$$\varphi_{in,f6} = \vec{D}_{f6} \times \vec{\varphi} = 25.10372 \text{ (kJ/kg)}$$

1.94t/h DE 疏水增加的热耗率为:

$$\Delta HR_{f6} = \frac{25.10372 \times 1.94}{0.44372 \times 200} = -0.54783 \text{ [kJ/(kW·h)]}$$

1.94t/h DE 疏水增加的耗煤量为:

$$\Delta B_{f6} = \frac{34.12 \times 25.10372 \times 1.94}{0.44372 \times 0.9} \times 10^{-3} = -4.16 \text{ (kg/h)}$$

考虑以上各种损失后的总热耗率为:8343.8159 kJ/(kW·h)。

按第六章的算法的计算结果为:8343.8762kJ/(kW·h)。可见,流量分布算法是正确的。

第五章　作功效率算法的应用

5.1　算法设计

5.1.1　求热力系统作功效率的函数

(1)功能

$$\vec{e} \leftarrow A^{-1} \times \vec{e}$$

e[ ]初始存放非调节抽汽作功能力向量；返回热力系统作功效率向量。

(2)函数语句

```
void zgxl(n,a,e);
```

(3)形参说明

①n 为维数；

②a[ ]为结构矩阵 A，体积为 n×n；

③e[ ]为非调节抽汽作功能力向量。

(4)函数子程序

```
void zgxl(n,a,e)
int n;
double a[],e[];
{int i,j;
for(j=n-1;j>=0;j--)
   for(i=j;i>0;i--)
      if(i==j)e[j]=e[j]/a[j*n+j];
         else e[i]=e[i]-e[j]*a[i*n+j];
```

```
return;
}
```

5.1.2 求抽汽流经再热器的份额

(1)功能

根据结构矩阵和再热器的位置求抽汽流经再热器的份额。

(2)函数语句

void zrll(m,a,azr);

(3)形参说明

①m 为再热器的位置,即再热器位于第 m 级抽汽和第 m+1 级抽汽之间;

②a[ ]为热力系统的结构矩阵,体积为 n×n。

③azr[ ]为抽汽流经再热器的流量,体积为 1×(m+1)。

(4)函数子程序

```
void zrll(m,a,azr)
int m;
double a[],azr[];
{int j,r;
azr[m]=1.0;
for(j=m-1;j>=0;j--)
    {azr[j]=1.0;
     for(r=j+1;r<=m;r++)
         azr[j]=azr[j]-azr[r]*a[j*n+r]/a[r*n+r];
    }
return;
}
```

以上函数与上一章的函数 vmult( )一齐放在名为 xlsf.c 的文件中。

【**例** 5.1】 某非再热机组的热力系统结构矩阵为：

$$
\boldsymbol{A}=\begin{bmatrix}
2500.37 & 120.98 & 186.73 & 87.51 & 105.92 & 60.28 & 129.95 & 146.94\\
0.0 & 2331.21 & 169.56 & 146.55 & 105.92 & 60.28 & 129.95 & 146.94\\
0.0 & 0.0 & 2386.90 & 146.55 & 105.92 & 60.28 & 129.95 & 146.94\\
0.0 & 0.0 & 0.0 & 2389.83 & 105.92 & 60.28 & 129.95 & 146.94\\
0.0 & 0.0 & 0.0 & 0.0 & 2218.58 & 105.93 & 211.16 & 146.94\\
0.0 & 0.0 & 0.0 & 0.0 & 0.0 & 2200.16 & 211.16 & 146.94\\
0.0 & 0.0 & 0.0 & 0.0 & 0.0 & 0.0 & 2342.24 & 146.94\\
0.0 & 0.0 & 0.0 & 0.0 & 0.0 & 0.0 & 0.0 & 2337.62
\end{bmatrix}
$$

非调节抽汽的作功能力向量为：

$\vec{\varphi}=$

{1207.05,958.78,844.91,701.29,550.98,426.63,357.55,205.99}^{T}；

试编程求热力系统的作功效率向量。

解:热力系统的作功效率向量为：

$$\vec{e}=A^{-1}\times\vec{\varphi}=$$

{0.40731， 0.34376， 0.31006， 0.26588， 0.22021，0.17390， 0.14712， 0.08812}^{T}

具体程序如下：

```
#include"stdio.h"
#include"xlsf.c"
main()
{int i;
static double a[8][8]=
{2500.37, 120.98, 186.73, 87.51, 105.92, 60.28, 129.95, 146.94,
  0.0    2331.21 169.56  146.55  105.92  60.92  129.95  146.94
  0.0    0.0     2386.90 146.55  105.92  60.28  129.95  146.94
```

```
0.0    0.0    0.0    2389.83  105.92   60.28    129.95   146.94
0.0    0.0    0.0    0.0      2218.58  105.93   211.16   146.94
0.0    0.0    0.0    0.0      0.0      2200.16  211.16   146.94
0.0    0.0    0.0    0.0      0.0      0.0      2342.24  146.94
0.0    0.0    0.0    0.0      0.0      0.0      0.0      2337.62
};
    static double e[8] = {1207.05,958.78,844.91,701.29,550.98,426.63,357.55,205.99};
    zgxl(8,a,e);
    printf("热力系统的作功效率向量为:\n{");
    for(i=0,i<=7;i++)
    printf("%.5f\",e[i]);
    printf("};\n");
    }
```

【例 5.2】 某再热机组的热力系统的结构矩阵为:

$$
\boldsymbol{A}=\begin{bmatrix}
2394.56 & 104.21 & 136.28 & 130.96 & 68.08 & 86.83 & 71.36 & 134.11 & 165.89\\
0.0 & 2093.48 & 211.10 & 49.82 & 185.98 & 86.83 & 71.36 & 134.11 & 165.89\\
0.0 & 0.0 & 2207.95 & 49.82 & 185.98 & 86.83 & 71.36 & 134.11 & 165.89\\
0.0 & 0.0 & 0.0 & 2600.38 & 185.98 & 86.83 & 71.36 & 134.11 & 165.89\\
0.0 & 0.0 & 0.0 & 0.0 & 2678.34 & 86.83 & 71.36 & 134.11 & 165.89\\
0.0 & 0.0 & 0.0 & 0.0 & 0.0 & 2503.58 & 78.42 & 217.46 & 165.89\\
0.0 & 0.0 & 0.0 & 0.0 & 0.0 & 0.0 & 2459.16 & 217.46 & 165.89\\
0.0 & 0.0 & 0.0 & 0.0 & 0.0 & 0.0 & 0.0 & 2583.04 & 165.89\\
0.0 & 0.0 & 0.0 & 0.0 & 0.0 & 0.0 & 0.0 & 0.0 & 2552.57
\end{bmatrix}
$$

非调节抽汽的作功能力向量(包括再热器吸热增加的作功能力)为:

$$\vec{\varphi}_{eq}=$$

{1495.86, 1202.15, 1105.52, 948.10, 840.08, 668.84, 546.00, 452.42, 256.06}^{T};

再热器的吸热量为：qzr≐500.03kJ/kg；再热器位于第 2 和第 3 级非调节抽汽之间。

试求其作功效率向量(扣除再热器吸热量的影响)。

解：热力系统的等效作功向量为：

$$\vec{e}_{eq} = A^{-1} \times \vec{\varphi}_{eq} = \{0.52335, 0.46186, 0.43582, 0.31556, 0.28589, 0.23958, 0.20034, 0.16871, 0.10031\}^{T};$$

1kg 非调节抽汽流经再热器的流量为：

azr[0] = 0.893258

azr[1] = 0.904391

azr[2] = 1.000000

锅炉的焓向量(包括再热器的吸热量)为：

$\vec{a}_Q =$

{2394.56, 0.0, 0.0, 0.0, 0.0, 0.0, 0.0, 0.0, 0.0};

从锅炉吸热获得的作功能力为：

$$\varphi_Q = \vec{a}_Q \times \vec{e} = 1253.18237 \text{ (kJ/kg)}$$

热力系统从锅炉总吸热量为：

2394.56 + 0.89326 × 500.03 = 2841.21680 (kJ/kg)

给水泵焓向量为：

$\vec{a}_p =$

{0.0, 0.0, 0.0, 23.83, 0.0, 0.0, 0.0, 0.0, 0.0};

给水泵焓向量具有的作功能力为：

$$\varphi_p = \vec{a}_p \times \vec{e} = 7.51969 \text{ (kJ/kg)}$$

考虑给水泵焓升时的主循环作功能力为：

1253.18237 + 7.51969 = 1260.70206 (kJ/kg)

考虑给水泵焓升时的主循环热效率为

$\eta'_0 = 1260.70206/2841.21680 = 0.44372$

扣除再热器吸热量影响之后的作功效率向量为：

$\vec{e}$ = {0.443719, 0.366009, 0.335329, 0.31556, 0.28589, 0.23958, 0.20034, 0.16871, 0.10031}^{T};

具体编程如下：

```
#include"stdio.h"
#include"xlsf.c"
main()
{int i;
double qzr = 500.03, azr[3], x;
static double a[9][9] =
{2394.56, 104.21, 136.28, 130.96,   68.08,   86.83,   71.36, 134.11, 165.89
   0.0, 2093.48, 211.10,   49.82, 185.98,   86.83,   71.36, 134.11, 165.89
   0.0,     0.0, 2207.95,  49.82, 185.98,   86.83,   71.36, 134.11, 165.89
   0.0,     0.0,     0.0, 2600.38, 185.98,  86.83,   71.36, 134.11, 165.89
   0.0,     0.0,     0.0,     0.0, 2678.34, 86.83,   71.36, 134.11, 165.89
   0.0,     0.0,     0.0,     0.0,     0.0, 2503.58, 78.42, 217.46, 165.89
   0.0,     0.0,     0.0,     0.0,     0.0,     0.0, 2459.16, 217.46, 165.89
   0.0,     0.0,     0.0,     0.0,     0.0,     0.0,     0.0, 2583.04, 165.89
   0.0,     0.0,     0.0,     0.0,     0.0,     0.0,     0.0,     0.0, 2552.57
   };
static double   e[9] =
   {1495.86, 1202.15, 1105.52, 948.10, 840.08, 688.84, 546.00, 452.42,
256.06};
static double b[9] = {2394.56};
static double tf[9] = {0.0, 0.0, 0.0, 23.83};
zgxl(9, a, e);
```

```
zrll(9,2,a,azr);
x=vmult(9,e,b);
x=x+vmult(9,e,tf);
e[0]=x/(2394.56+azr[0]*qzr);
for(i=1;i<2;i++)
   e[i]=e[i]-azr[i]*qzr*e[0]/a[i][i];
printf("热力系统作功效率向量为:\n{");
for(i=0;i<=8;i++)printf("%.5f  ",e[i]);
printf("}\n");
getch();
}
```

5.2 非再热机组的热经济性计算

【例 5.3】 对于例 4.3 所示的热力系统,试用作功效率法分析其经济性。

解:(1)主循环的计算

$$\mathbf{A}=\begin{bmatrix}2500.37 & 120.98 & 186.73 & 87.51 & 105.92 & 60.28 & 129.95 & 146.94\\ 0.0 & 2331.21 & 169.56 & 146.55 & 105.92 & 60.28 & 129.95 & 146.94\\ 0.0 & 0.0 & 2386.90 & 146.55 & 105.92 & 60.28 & 129.95 & 146.94\\ 0.0 & 0.0 & 0.0 & 2389.83 & 105.92 & 60.28 & 129.95 & 146.94\\ 0.0 & 0.0 & 0.0 & 0.0 & 2218.58 & 105.93 & 211.16 & 146.94\\ 0.0 & 0.0 & 0.0 & 0.0 & 0.0 & 2200.16 & 211.16 & 146.94\\ 0.0 & 0.0 & 0.0 & 0.0 & 0.0 & 0.0 & 2342.24 & 146.94\\ 0.0 & 0.0 & 0.0 & 0.0 & 0.0 & 0.0 & 0.0 & 2337.62\end{bmatrix}$$

非调节抽汽的作功能力向量为:

$\vec{\varphi}=$

$\{1207.05, 958.78, 844.91, 701.29, 550.98, 426.63, 357.55, 205.99\}^{T}$;

热力系统的作功效率向量为:

$\vec{e} = A^{-1} \times \vec{\varphi} =$

{0.40731， 0.34376， 0.31006， 0.26588， 0.22021， 0.17390， 0.14712， 0.08812}^{T}；

锅炉吸热的焓向量为：

$\vec{a}_Q =$

{2500.37， 0.0， 0.0， 0.0， 0.0， 0.0， 0.0， 0.0}；

从锅炉吸热获得的作功能力为：

$$\varphi_Q = \vec{a}_Q \times \vec{e} = 1018.42415 \text{ (kJ/kg)}$$

给水泵焓向量为：

$\vec{a}_p =$

{0.0， 0.0， 17.17， 0.0， 0.0， 0.0， 0.0， 0.0}；

给水泵焓向量具有的作功能力为：

$$\varphi_p = \vec{a}_p \times \vec{e} = 5.32365 \text{ (kJ/kg)}$$

考虑给水泵焓升时的主循环作功能力为：

$1018.42415 + 5.32365 = 1023.7478$ (kJ/kg)

考虑给水泵焓升时的主循环热效率为

$\eta'_0 = 1023.7478/2500.37 = 0.409439$

当考虑给水泵焓升时的主循环热耗率为：

$$HR'_0 = \frac{3600}{0.409439 \times 0.97} = 9064.46267 \quad [\text{kJ/(kW·h)}]$$

(2)辅助抽汽的经济性计算

①A 辅助抽汽的焓向量为：

$\vec{a}_{f1} =$

{0.0,0.0,2615.07,146.55,105.92,60.28,129.95,146.94}；

A 抽汽离开汽轮机时的作功能力为：

$$\varphi_{out,f1} = h_{f1} - h_c = 1073.08 \text{ (kJ/kg)}$$

1kg A 辅助抽汽进入加热器时的作功能力为：

$$\varphi_{in,f1} = \vec{a}_{f1} \times \vec{e} = 915.65528 \text{ (kJ/kg)}$$

1kg A 抽汽的作功能力损失为：

$$\Delta\varphi_{f1}=\varphi_{out,f1}-\varphi_{in,f1}$$

$$=1073.08-915.65528=157.42472\ (kJ/kg)$$

3.2t/h A 抽汽增加的热耗率为：

$$\Delta HR_{f1}=\frac{157.42472\times3.2}{0.409439\times100}=12.30367\ [kJ/(kW\cdot h)]$$

3.2t/h A 辅助抽汽增加的耗煤量为：

$$\Delta B_{f1}=\frac{34.12\times157.42472\times3.2}{0.409439\times0.882}\times10^{-3}=47.60\ (kg/h)$$

②B 辅助抽汽的焓向量为：

$\vec{a}_{f1}=$

$\{0.0,0.0,0.0,2895.59,105.92,60.28,129.95,146.94\}$；

B 抽汽离开汽轮机时的作功能力为：

$$\varphi_{out,f2}=h_{f2}-h_c=1207.05\ (kJ/kg)$$

B 进入加热器时的作功能力为：

$$\varphi_{in\cdot f2}=\vec{a}_{f2}\times\vec{e}=835.76312\ (kJ/kg)$$

1kg B 抽汽的作功能力损失为：

$$\Delta\varphi_{f2}=\varphi_{out,f2}-\varphi_{in,f2}$$

$$=1207.05-835.76312=317.28688\ (kJ/kg)$$

1.6t/h B 抽汽增加的热耗率为：

$$\Delta HR_{f2}=\frac{371.28688\times1.6}{0.409439\times100}=4.510915\ [kJ/(kW\cdot h)]$$

1.6t/h B 辅助抽汽增加的耗煤量为：

$$\Delta B_{f2}=\frac{34.12\times371.28688\times1.6}{0.409439\times0.882}\times10^{-3}=56.13\ (kg/h)$$

③C 辅助抽汽的焓向量为：

$\vec{a}_{f3}=$

$\{0.0,0.0,0.0,0.0,0.0,2846.61,211.16,146.94\}$；

C 抽汽离开汽轮机时的作功能力为：

$$\varphi_{out,f3}=h_{f3}-h_c=1073.08\ (\mathrm{kJ/kg})$$

C 进入加热器时的作功能力为：

$$\varphi_{in,f3}=\vec{a}_{f3}\times\vec{e}=539.04971\ (\mathrm{kJ/kg})$$

1kg C 抽汽的作功能力损失为：

$$\Delta\varphi_{f3}=\varphi_{out,f3}-\varphi_{in,f3}$$

$$=1073.08-539.04971=534.03029\ (\mathrm{kJ/kg})$$

1.5t/h C 抽汽增加的热耗率为：

$$\Delta HR_{f3}=\frac{534.03029\times1.5}{0.409439\times100}=19.56449\ [\mathrm{kJ/(kW\cdot h)}]$$

1.5t/h C 辅助抽汽增加的耗煤量为：

$$\Delta B_{f3}=\frac{34.12\times534.03029\times1.5}{0.409439\times0.882}\times10^{-3}=75.68\ (\mathrm{kg/h})$$

④D 辅助抽汽的焓向量为：

$\vec{a}_{f4}=$

$\{0.0,0.0,0.0,0.0,0.0,0.0,0.0,3204.71\}$；

D 抽汽离开汽轮机时的作功能力为：

$$\varphi_{out,f4}=h_{f4}-h_c=1073.08\ (\mathrm{kJ/kg})$$

D 进入加热器时的作功能力为：

$$\varphi_{in,f4}=\vec{a}_{f4}\times\vec{e}=282.39757\ (\mathrm{kJ/kg})$$

1kg D 抽汽的作功能力损失为：

$$\Delta\varphi_{f4}=\varphi_{out,f4}-\varphi_{in,f4}$$

$$=1073.08-282.39757=790.68243\ (\mathrm{kJ/kg})$$

1.5t/h D 抽汽增加的热耗率为：

$$\Delta HR_{f4}=\frac{790.68243\times1.5}{0.409439\times100}=28.96708\ [\mathrm{kJ/(kW\cdot h)}]$$

1.5t/h D 辅助抽汽增加的耗煤量为：

$$\Delta B_{f4}=\frac{34.12\times790.68243\times1.5}{0.409439\times0.882}\times10^{-3}=112.06\ (\mathrm{kg/h})$$

⑤E 辅助抽汽的焓向量为：

$\vec{a}_{f5}=$

$\{0.0,0.0,0.0,0.0,0.0,0.0,0.0,2550.60\}$；

E 抽汽离开汽轮机时的作功能力为：

$$\varphi_{out,f5}=h_{f5}-h_c=701.29\ (\mathrm{kJ/kg})$$

E 进入加热器时的作功能力为：

$$\varphi_{in,f5}=\vec{a}_{f5}\times\vec{e}=224.75770\ (\mathrm{kJ/kg})$$

1kg E 抽汽的作功能力损失为：

$$\begin{aligned}\Delta\varphi_{f5}&=\varphi_{out,f5}-\varphi_{in,f5}\\&=701.29-224.75770\quad 476.5323\ (\mathrm{kJ/kg})\end{aligned}$$

2.0t/h E 抽汽增加的热耗率为：

$$\Delta HR_{f4}=\frac{476.5323\times2.0}{0.409439\times100}=23.277\ [\mathrm{kJ/(kW\cdot h)}]$$

2.0t/h E 辅助抽汽增加的耗煤量为：

$$\Delta B_{f4}=\frac{34.12\times476.5323\times2.0}{0.409439\times0.882}\times10^{-3}=90.05\ (\mathrm{kg/h})$$

⑥F 辅助抽汽的焓向量为：

$\vec{a}_{f6}=$

$\{0.0,0.0,0.0,0.0,0.0,0.0,0.0,0.0\}$；

F 辅助抽汽离开汽轮机时的作功能力为：

$$\varphi_{out,f6}=h_{f6}-h_c=1073.08\ (\mathrm{kJ/kg})$$

F 进入凝汽器时的作功能力为：

$$\varphi_{in,f6}=\vec{a}_{f6}\times\vec{e}=0.0\ (\mathrm{kJ/kg})$$

$$\Delta\varphi_{f6}=\varphi_{out,f6}-\varphi_{in,f6}=1073.08\ (\mathrm{kJ/kg})$$

1.0t/h F 疏水增加的热耗率为：

$$\Delta HR_{f6}=\frac{1073.08\times1.0}{0.409439\times100}=26.20857\ [\mathrm{kJ/(kW\cdot h)}]$$

1.0t/h F 疏水增加的耗煤量为：

$$\Delta B_{f6}=\frac{34.12\times 1073.08\times 1.0}{0.409439\times 0.882}\times 10^{-3}=101.39\ (\mathrm{kg/h})$$

考虑以上各种损失后的总热耗率为:9189.2930 kJ/(kW·h)。

5.3 再热机组的经济性计算

【例 5.4】 试用作功效率法分析例 4.4 所给出机组的热经济性。

解:(1)主循环的计算

热力系统的结构矩阵为:

$$\boldsymbol{A}=\begin{bmatrix}
2394.56 & 104.21 & 136.28 & 130.96 & 68.08 & 86.83 & 71.36 & 134.11 & 165.89\\
0.0 & 2093.48 & 211.10 & 49.82 & 185.98 & 86.83 & 71.36 & 134.11 & 165.89\\
0.0 & 0.0 & 2207.95 & 49.82 & 185.98 & 86.83 & 71.36 & 134.11 & 165.89\\
0.0 & 0.0 & 0.0 & 2600.38 & 185.98 & 86.83 & 71.36 & 134.11 & 165.89\\
0.0 & 0.0 & 0.0 & 0.0 & 2678.34 & 86.83 & 71.36 & 134.11 & 165.89\\
0.0 & 0.0 & 0.0 & 0.0 & 0.0 & 2503.58 & 78.42 & 217.46 & 165.89\\
0.0 & 0.0 & 0.0 & 0.0 & 0.0 & 0.0 & 2459.16 & 217.46 & 165.89\\
0.0 & 0.0 & 0.0 & 0.0 & 0.0 & 0.0 & 0.0 & 2583.04 & 165.89\\
0.0 & 0.0 & 0.0 & 0.0 & 0.0 & 0.0 & 0.0 & 0.0 & 2552.57
\end{bmatrix}$$

非调节抽汽的作功能力向量(包括再热器吸热增加的作功能力)为:

$$\vec{\varphi}_{eq}=$$

$\{1495.86, 1202.15, 1105.52, 948.10, 840.08, 668.84, 546.00, 452.42, 256.06\}^{T}$;

热力系统的等效作功向量为:

$$\vec{e}_{eq}=A^{-1}\times\vec{\varphi}_{eq}$$

$$=\{0.52335, 0.46186, 0.43582, 0.31556, 0.28589, 0.23958, 0.20034, 0.16871, 0.10031\}^{T};$$

抽汽流经再热器的流量为:

azr[0] = 0.893258

azr[1] = 0.904391

azr[2] = 1.000000

锅炉的焓向量(包括再热器的吸热量)为：

$\vec{a}_Q =$

{2394.56, 0.0, 0.0, 0.0, 0.0, 0.0, 0.0, 0.0, 0.0,};

从锅炉吸热获得的作功能力为：

$$\varphi_Q = \vec{a}_Q \times \vec{e} = 1253.18237\ (\mathrm{kJ/kg})$$

热力系统从锅炉总吸热量为：

$2394.56 + 0.89326 \times 500.03 = 2841.21680\ (\mathrm{kJ/kg})$

给水泵焓向量为：

$\vec{a}_P =$

{0.0, 0.0, 0.0, 23.83, 0.0, 0.0, 0.0, 0.0, 0.0};

给水泵焓向量具有的作功能力为：

$$\varphi_P = \vec{a}_P \times \vec{e} = 7.51969\ (\mathrm{kJ/kg})$$

考虑给水泵焓升时的主循作功能力为：

$1253.18237 + 7.51969 = 1260.70206\ (\mathrm{kJ/kg})$

考虑给水泵焓升时的主循环热效率为：

$\eta'_0 = 1260.70206/2841.21680 = 0.44372$

当考虑给水泵焓升时的主循环热耗率为：

$$HR'_0 = \frac{3600}{0.44372 \times 0.985 \times 0.99} = 8319.99350\ [\mathrm{kJ/(kw \cdot h)}]$$

扣除再热器吸热量影响之后的作功能力向量为：

$\vec{e} = \{0.443719,\ 0.366009,\ 0.335329,\ 0.31556,\ 0.28589,\ 0.23958,\ 0.20034,\ 0.16871,\ 0.10031\}^T$;

(2)辅助抽汽热耗率的计算

①A 辅助抽汽的焓向量为：

$\vec{a}_{f1} =$

{0. 0, 2335. 86, 211. 1, 49. 82, 185. 98, 86. 83, 71. 36, 134. 11, 165. 89};

A 抽汽离开汽轮机时的作功能力为:

$$\varphi_{out,f1} = h_{f1} - h_c + (1 - \eta'_0) \times \sigma = 1222.65669\ (kJ/kg)$$

不包括再热器吸热时、1kg A 辅助抽汽进入加热器时的总作功能力为:

$$\varphi_{in,f1} = \vec{a}_{f1} \times \vec{e} = 1068.98991\ (kJ/kg)$$

1kg A 抽汽的作功能力损失为:

$$\Delta\varphi_{f1} = \varphi_{out,f1} - \varphi_{in,f1}$$

$$= 1222.65669 - 1068.98991 = 153.667\ (kJ/kg)$$

1. 94t/h A 抽汽增加的耗煤量为:

$$\Delta HR_{f1} = \frac{153.667 \times 1.94}{0.44372 \times 200} = 3.35926\ [kJ/(kw \cdot h)]$$

1. 94t/h A 辅助抽汽增加的耗煤量为:

$$\Delta B_{f1} = \frac{34.12 \times 153.66 \times 1.94}{0.44372 \times 0.9} \times 10^{-3} = 25.47\ (kg/h)$$

② B 辅助抽汽的焓向量为:

$\vec{a}_{f1} =$

{0.0,0.0,0.0,0.0,2845.18,86.83,71.36,134.11,165.89};

B 抽汽离开汽轮机时的作功能力为:

$$\varphi_{out,f2} = h_{f2} - h_c = 1006.92\ (kJ/kg)$$

B 进入加热时的作功能为:

$$\varphi_{in,f2} = \vec{a}_{f2} \times \vec{e} = 887.77813\ (kJ/kg)$$

1kg B 抽汽的作功能力损失为:

$$\Delta\varphi_{f2} = \varphi_{out,f2} - \varphi_{in,f2}$$

$$= 1006.92 - 887.77813 = 119.14187\ (kJ/kg)$$

3. 36t/h B 抽汽增加的热耗率为:

$$\Delta HR_{f2} = \frac{119.14187 \times 3.36}{0.44372 \times 200} = 4.510915\ [\mathrm{kJ/(kw \cdot h)}]$$

3.36t/h B 辅助抽汽增加的耗煤量为：

$$\Delta B_{f2} = \frac{34.12 \times 119.14187 \times 3.36}{0.44372 \times 0.9} \times 10^{-3} = 34.02\ (\mathrm{kg/h})$$

③C 辅助抽汽的焓向量为：

$\vec{a}_{f3} =$

$\{0.0, 0.0, 0.0, 0.0, 0.0, 2683.94, 78.42, 217.46, 165.89\}$；

C 抽汽离开汽轮机时的作功能力为：

$$\varphi_{out,f3} = h_{f3} - h_c = 849.20\ (\mathrm{kJ/kg})$$

C 进入加热器时的作功能力为；

$$\varphi_{in,f3} = \vec{a}_{f3} \times \vec{e} = 712.05016\ (\mathrm{kJ/kg})$$

1kg C 抽汽的作功能力损失为：

$$\Delta\varphi_{f3} = \varphi_{out,f3} - \varphi_{in,f3} = 849.20 - 712.05016 = 137.14984\ (\mathrm{kJ/kg})$$

4.71t/h C 抽汽增加的热耗率为：

$$\Delta HR_{f3} = \frac{137.14984 \times 4.71}{0.44372 \times 200} = 7.27909\ [\mathrm{kJ/(kW \cdot h)}]$$

4.71t/h C 辅助抽汽增加的耗煤量为：

$$\Delta B_{f3} = \frac{34.12 \times 137.14984 \times 4.71}{0.44372 \times 0.9} \times 10^{-3} = 55.19\ (\mathrm{kg/h})$$

④ D 辅助抽汽的焓向量为：

$\vec{a}_{f4} =$

$\{0.0, 0.0, 0.0, 0.0, 0.0, 0.0, 0.0, 2781.25\}$；

D 抽汽离开汽轮机时的作功能力为：

$$\varphi_{out,f4} = h_{f4} - h_c = 734.99\ (\mathrm{kJ/kg})$$

D 进入加热器时的作功能力为：

$$\varphi_{out,f4} = \vec{a}_{f4} \times \vec{e} = 469.21837\ (\mathrm{kJ/kg})$$

1kgD 抽汽的作功能力损失为：

$$\Delta\varphi_{f4} = \varphi_{out,f4} - \varphi_{in,f4}$$
$$= 734.99 - 469.21837 = 265.77163(kJ/kg)$$

1.94t/h D 抽汽增加的热耗率为：

$$\Delta HR_{f4} = \frac{265.77163 \times 1.94}{0.44372 \times 200} = 5.80994 \ [kJ/(kW \cdot h)]$$

1.94t/h D 辅助抽汽增加的耗煤量为：

$$\Delta B_{f4} = \frac{34.12 \times 265.77163 \times 1.94}{0.44372 \times 0.9} \times 10^{-3} = 44.05 \ (kg/h)$$

⑤E 辅助抽汽的焓向量为：

$\vec{a}_{f5} =$

{0.0,0.0,0.0,0.0,0.0,0.0,0.0,0.0,2957.94}；

E 抽汽离开汽轮机时的作功能力为：

$$\varphi_{out,f5} = h_{f5} - h_c = 661.43 \ (kJ/kg)$$

E 进入加热器时的作功能力为：

$$\varphi_{in,f5} = \vec{a}_{f5} \times \vec{e} = 296.7252 \ (kJ/kg)$$

1kg E 抽汽的作功能力损失为：

$$\Delta\varphi_{f5} = \varphi_{out,f5} - \varphi_{in,f5}$$
$$= 661.43 - 296.72452 = 364.70548 \ (kJ/kg)$$

1.94t/h E 抽汽增加的热耗率为：

$$\Delta HR_{f4} = \frac{364.70548 \times 0.83}{0.44372 \times 200} = 3.410997 \ [kJ/(kW \cdot h)]$$

1.94t/h E 辅助抽汽增加的耗煤量为：

$$\Delta B_{f4} = \frac{34.12 \times 364.70548 \times 0.83}{0.44372 \times 0.9} \times 10^{-3} = 25.86 \ (kg/h)$$

⑥DE 辅助抽汽的焓向量为：

$\vec{a}_{f6} =$

{0.0,0.0,0.0,0.0,0.0,0.0,0.0,0.0,250.15}；

DE 进入加热器时的作功能力为：

$$\varphi_{in,f6} = \vec{a}_{f6} \times \vec{e} = 25.10372 \text{ (kJ/kg)}$$

$$\Delta\varphi_{f1} = \varphi_{out,f1} - \varphi_{in,f1} = -25.10372 \text{ (kJ/kg)}$$

1.94t/h DE 疏水增加的热耗率为：

$$\Delta HR_{f6} = -\frac{25.10372 \times 1.94}{0.44372 \times 200} = -0.54783 \text{ [kJ/(kW·h)]}$$

1.94t/h DE 疏水增加的耗煤量为：

$$\Delta B_{f6} = -\frac{34.12 \times 25.10372 \times 1.94}{0.44372 \times 0.9} \times 10^{-3} = -4.16 \text{ (kg/h)}$$

考虑以上各种损失之后的总热耗率为:8343.8159 [kJ.(kW·h)]。

第六章　改进的循环函数法的应用

6.1　算法设计

(1)功能

求加热单元相对于任意参考流量值的流量分布。首先用加热单元初始化函数 $u1()$将原始数据变为相对于 1kg 流向高一级单元给水时的值,然后用标准单元函数 $u2()$求出相对于 1kg 出口给水时的标准流量分布。最后用函数 $u3()$,将结果转化为相对于参考流量值时的数值。

(2)函数语句

double u3(unum,type,et,a,d,gg)

(3)形参说明

①unum 为单元内加热器的个数;

②type 为加热单元的型式系数 U,按第三章的方法确定;

③et 为加热器的效率;

④a[ ]为加热单元的参数矩阵,体积为 unum×6,即

$$\boldsymbol{A}=\begin{bmatrix} h_1 & \bar{t}_1 & \bar{t}_{F1} & h_{T1} & D_{T1} & Q_{x1} \\ h_2 & \bar{t}_2 & \bar{t}_{F2} & h_{T2} & D_{T2} & Q_{x2} \\ \cdots & \cdots & \cdots & \cdots & \cdots & \cdots \\ h_{n-1} & \bar{t}_{n-1} & \bar{t}_{Fn-1} & h_{Tn-1} & D_{Tn-1} & Q_{xn-1} \\ h_n & \bar{t}_n & \bar{t}_{Gn} & h_{Tn} & D_{Tn} & Q_{xn} \end{bmatrix}$$

其中,D_{Ti}、Q_{xi}分别为单元内第 i 号加热器相对于参考流量值的调节抽汽流量和纯热量。

⑤d[ ]为单元非调节油汽相对于参考流量值的数值,体积为1×n;

⑥gg 为单元参考流量值。

(4)函数子程序

```
#include"alloc.h"
 void ul(n,a,q,gg)
 int n;
 double gg,a[ ],q[ ]
  {int i;
   double tf0,t1,h,t,tf,ht,dt,qx;
   tf0=a[0];
   t=a[1];
   for(i=0;i<=n-1;i++)
    {h=a[i*6+0];
     tf=a[i*6+2];ht=a[i*6+3];dt=a[i*6+4];
     qx=a[i*6+5];
     if(i<n-1)t1=a[(i+1)*6+1];
          else
             t1=tf;
     q[i*5+0]=h-tf;
     q[i*5+1]=t-t1;
     q[i*5+2]=tf0-tf;
     if(dt==0.0)
       {q[i*5+3]=0.0;q[i*5+4]=0.0;}
     else
       {q[i*5+3]=ht-tf;q[i*5+4]=dt/gg;}
     q[i*5+1]-=qx/gg;
     tf0=tf;t=t1;
```

```
    }
}

double u2(n,u,et,q,d)
int n;
double u,et,q[],d[];
{int i;
  double dt,qt,r,rf,qi,q0,k1,k2,g, * f;
  f=malloc((n+1) * sizeof(double));
  f[0 ]=0.0;qi=q[0];
        for (i=1;i< =n;i+ + )
            {q0=qi
             qi=q[(i-1) * 5+0];
             r=q[(i-1) * 5+1];
             rf=q[(i-1) * 5+2];
             dt=q[(i-1) * 5+4];
             qt=q[(i-1) * 5+3];
             f[i]=f[i-1]+dt+r/et/qi-(f[i-1] * rf/qi+dt * qt/qi);
             }
      k1=1.0-u/q0 * (q0/qi+rf/qi-1.0);
      f[n]=f[n]/k1;
      if(n>1){k2=u * f[n]/q0;
                  f[n-1]=f[n-1]-k2;
                  }
      g=1.0-f[n];
      for=(i=0;i< =n-1;i+ + )
             d[i]=f[i+1]-f[i]-q[i * 5+4];
       free(f);
```

```
  return(g)
  }

double u3(unum,type,et,a,d,gg)
  int unum;
  double type,et,a[],d[],gg;
  {int i;
   double g, *q;
   q=malloc(unum*5*sizeof(double));
   ul(unum,a,q,gg)
   g=u2(unum,type,et,q,d);
   free(q);
   for (i=0;i<=unum-1;i++)
      d[i]=d[i]*gg;
   return(g*gg);
}
```

以上函数放在文件名为 u2.c 的文件中。

【例 6.1】 如图 6-1 所示的加热单元,试求单元进水系数和各非调节抽汽量(加热器的热效率为 0.98)。

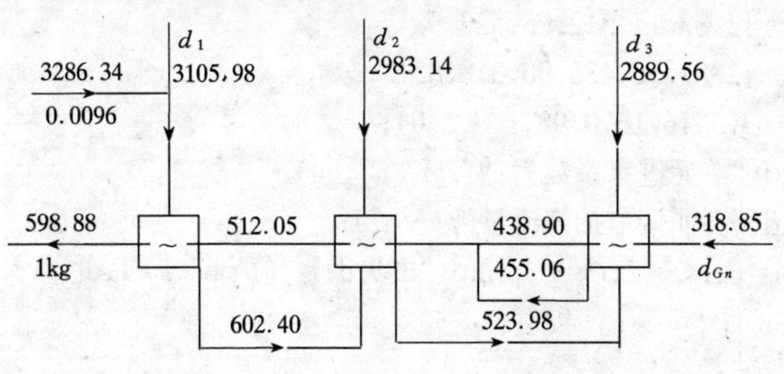

图 6-1

解：

单元内加热器的个数为：unum = 3；

加热单元的型式系数为：type = 455.06 − 438.90 = 16.16；

加热器的热效率为：et = 0.98；

单元参考流量为：gg = 1.0；

单元的矩阵为：

$$
\boldsymbol{X}=\begin{bmatrix}3105.98 & 598.88 & 602.40 & 3286.34 & 0.0096 & 0.0\\ 2983.14 & 512.05 & 523.98 & 0.0 & 0.0 & 0.0\\ 2889.56 & 438.90 & 318.85 & 0.0 & 0.0 & 0.0\end{bmatrix}
$$

调用 u3()函数即可得到单元进水系数和流量分布。具体程序如下：

```
#include"stdio.h"
#include"u2.c"
main()
{
int i;
double dg,d[3];
static double x[3][6]={
        {3105.98,598.88,602.40,3286.34,0.096},
        {2983.14,512.05,523.98},
        {2889.56,438.90,318.85}};
dg=u3(3,16.16,0.98,x,d,1.0);
printf("单元进水系数为:%.5f\n",dg);
printf("各非调节抽汽流量为:\n");
for(i=0;i<=2;i++)printf("d(%d)=%f\n",i+1,d[i]);
getch();
}
```

计算结果为：

单元进水系数为:dg＝0.89348

各非调节抽汽流量为:

d(1)＝0.025099

d(2)＝0.028547

d(3)＝0.043275

【例 6.2】 如图 6-2 所示的加热单元,试求其单元进水系数和各非调节抽汽量。

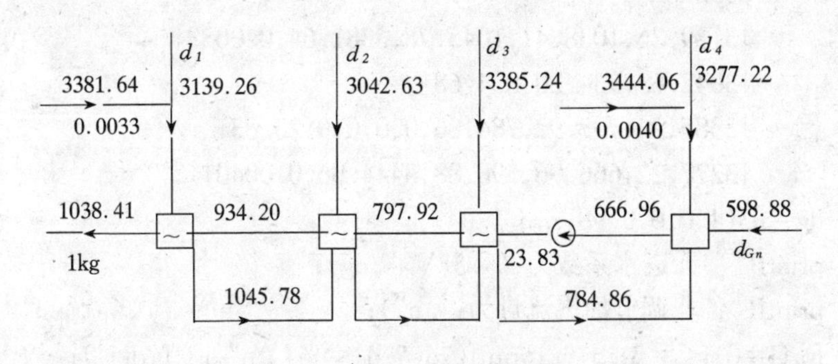

图 6-2

解:

单元内加热器的个数为:unum＝4;

加热单元的型式系数为:type＝0.0

加热器的热效率为:et＝0.98;

单元参考流量为:gg＝1.0;

单元的矩阵为:

$$
\boldsymbol{X}=\begin{bmatrix}
3139.26 & 1038.41 & 1045.78 & 3381.64 & 0.0033 & 0.0 \\
3042.63 & 934.20 & 834.68 & 0.0 & 0.0 & 0.0 \\
3385.24 & 797.92 & 784.86 & 0.0 & 0.0 & 23.83 \\
3277.22 & 666.96 & 598.88 & 3444.06 & 0.0040 & 0.0
\end{bmatrix}
$$

调用 u3()函数即可得到单元进水系数和流量分布。具体程序如下：

```
#include"stdio.h"
#include"u2.c"
main()
{
int i;
double dg,d[4];
static double x[4][6]={
        {3139.26,1038.41,1045.78,3381.64,0.0033}
        {3042.63,934.20,834.68},
        {3385.24,797.92,784.86,0.0,0.0,23.83}
        {3277.22,666.96,598.88,3444.06,0.0040}};
dg=u3(4,0.0,0.98,x,d,1.0);
printf("单元进水系数为:%.5f\n",dg);
printf("各非调节抽汽流量为:\n");
for(i=0;i<=3;i++)printf("d(%d)=%f\n",i+1,d[i]);
getch();
}
```

计算结果为：

单元进水系数为：dg=0.83609

各非调节抽汽流量为：

d(1)=0.047112

d(2)=0.058162

d(3)=0.039958

d(4)=0.011374

6.2 纯凝汽式机组举例

【例 6.3】 如图 4.1 所示的 N100-8.82 型汽轮机，试用改进的循环函数法分析其经济性。

程序如下：

```
#include"stdio.h"
#include"u2.c"
#define D0 367.52
main()
{int i;
FILE * fp;
    double dg[4],wi1,wi2,q,q0,qq1,qq2,qq3,qq4,qq5,effi,effe,rh,xx;
    double et=1.0;
static double d1[3],d2[3],d3[1],d4[1];
/* 输入原始数据 */
    static double x1[3][6]={{3226.77,974.67,895.56},
                            {3112.90,853.69,726.00,3341.07,3.2,17.17
                            * D0},
                            {2969.28,666.96,579.45,3475.04,1.6}};
    static double x2[3][6]={{2818.97,579.45,600.39},
                            {2694.62,473.53,494.46,3341.07,1.5},
                            {2625.54,410.73,282.19}};
static double x3[1][6]={{2473.98,282.19,136.36,3341.07,1.5,5101.2}};
static double x4[1][6]={{2267.99,136.36,136.36,1392.81,3.0}};
  j=0;
/* 热力系统流量分配计算 */
   while(j<5)
  {
  dg[0]=u3(3,0,0,et,x1,d1,D0);
```

```
dg[1]=u3(3,20.93,et,x2,d2,dg[0]);
dg[2]=u3(1,20.93,et,x3,d3,dg[1]);
dg[3]=u3(3,0.0,et,x4,d4,dg[2]);
/*对第3个单元的出口水焓进行修正*/
    x2[2][2]=282.19+20.93*(dg[1]-dg[2])/dg[1];
    j++;
    }
/*计算结果放在文件n100.dat中*/
fp=fopen{"n100.dat","w");
  fprintf(fp,"主蒸汽流量为:D0=%.3ft/h\n",D0);
    fprintf(fp,"折算凝汽流量为:dgn=%8.4ft/h\n",dg[3]);
  fprintf(fp,"流量分布为:\n");
  for(i=0;i<=2;i++)fprintf(fp,"a(%d)=%8.3f t/h\n",i,d1[i]);
   for(i=0;i<=2;i++)fprintf(fp,"a(%d)=%8.3f t/h\n",i+3,d2
    [i]);
    for(i=0;i<=0;i++)fprintf(fp,"a(%d)=%8.3f t/h\n",i+6,d3
     [i]);
     for(i=0;i<=0;i++ fprintf(fp,"a(%d)=%8.3f t/h\n",i+7,d4
                    [i]);
                    q0=(3475,04-974.67)*D0;
                    qq1=x1[0][0]*d1[0]+x1[1][0]*d1[1]
                        +x1[2][0]*d1[2]
                        +x2[0][0]*d2[0]+x2[1][0]*d2[1]
                        +x2[2][0]*d2[2]
                        +x3[0][0]*d3[0]
                        +x4[0][0]*d4[0]
                        +2267.99*dg[3];
                   qq2=7.2*3341.07+1.6*3475.04
                        +2.0*2969.28;
wil=3475.04 *D0-qq1-qq2;/*正平衡功*/
              qq3=dg[3]*(2267.99-136.36);
```

```
            qq4=0.0;
            qq5=0.0;
wi2=q0+17.17*D0-qq3-qq4-qq5;/*反平衡功*/
fprintf(fp,"正平衡功率:%.4f kW\n",wi1/3.6*0.97);
fprintf(fp,"反平衡功率:%.4f kW\n",wi2/3.6*0.97);
effi=wi2/q0;
effe=effi*0.97;
q=3600.0/effe;
rh=q/q0*D0;
fprintf(fp,"热耗率 q=%.4f kJ/(kW·h)\n",q);
fprintf(fp,"汽耗率 d=%.4f kg/(kW·h)\n",rh);
fprintf(fp,"电效率%.2f%\n",100.0*effe);
fclose(fp);
getch();
}
```

计算结果为:

主蒸汽流量为:D0=367.520(t/h)

折算凝汽流量为:dgn=259.9464(t/h)

流量分布为:

a(0)= 19.073 t/h (19.076)

a(1)= 21.247 t/h (21.247)

a(2)= 8.850 t/h (8.850)

a(3)= 14.970 t/h (14.969)

a(4)= 5.929 t/h (5.929)

a(5)= 15.377 t/h (15.377)

a(6)= 13.096 t/h (13.101)

a(7)= −1.768t/h

正平衡功率:100 000.731 3(kW)

反平衡功率:100000.731 4(kW)

热耗率 q=9189.2926(kg/kW·h)

汽耗率 d=3.6752(kg/kW·h)

电效率 39.18%

注:流量分布后面括号内的数值为文献[2]用循环函数法手算的结果。从比较中可以看出,本例的计算是正确的。

6.3 再热机组举例

【例 6.4】 如图 4-2 所示的 N200-12.74/535/535 型汽轮机,试用改进的循环函数法分析其经济性。

程序如下:

```
/* N200-12.74/535/535 型汽轮机 */
#include"stdio.h"
#include"u2.c"
#define D0 587.31
main( )
{int i;
FILE * fp;
   double dg[3],wi1,wi2,q,q0,qq1,qq2,qq3,qq4,qq5,effi,effe,rh;
   double et=1.0;
/* 输入原始数据 */
   static double dl[4],d2[3],d3[1];
   static double xl[4][6]={{3139.26,1038.41,1045.78,3381.64,1.94},
                           {3042.63,934.20,834.68},
                           {3385.24,797.92,784.86,0.0,0.0,23.83*D0},
                           {3277.22,666.96,598.88,3444.06,3.36}};
      static double x2[3][6]={{3105.98,598.88,602.40,3286.34,4.71},
                              {2983.14,512.05,523.98}
                              {2889.56,438.90,306.52,0.0,0.0,
                              5395.625}};
```

```
    static double x3[1][6]={{2693.20,306.52,140.63,1202.21,2.77}};
/*热力系统流量分配计算*/
    dg[0]=u3(4,0.0,et,x1,d1,D0);
    dg[1]=u3(3,16.75,et,x2,d2,dg[0]);
    dg[2]=u3(1,0.0,et,x3,d3,dg[1]);
/*计算结果放在文件n200.dat中*/
  fp=fopen("n200.dat","w");
  fprintf(fp,"主蒸汽流量为:D0=%.3ft/h\n\n",D0);
     fprintf(fp,"折算凝汽流量为:dgn=%.4ft/h\n",dg[2]);
for(i=0;i<=3;i++)fprintf(fp,"a(%d)=%.4f t/h\n,i,d1[i]);
  for(i=0;i<=2;i++)fprintf(fp,"a(%d)=%.4f t/h\n,i+4,d2[i]);
  for(i=0;i<=0;i++)fprintf(fp,"a(%d)=%.4f t/h\n,i+7,d3[i]);
q0=(3432.97-1038.41)*D0+(D0-d1[0]-d1[1]-1.94)*500.03;
/*正平衡功*/
        qq1=0.0;
        for(i=0;i<=3;i++)
             qq1=qq1+x1[i][0]*d1[i];
        for(i=0;i<=2;i++)
           qq1=qq1+x2[i][0]*d2[i];
        for(i=0;i<=0;i++)
           qq1=qq1+x3[i][0]*d3[i];
        qq1=qq1+2437.14*dg[2];
qq2=1.94*3381.64+3.36*3444.06+4.71*3286.34+1.94*3172.13+
0.83*3098.57;
  wi1=q0+1038.41*D0-qq1-qq2;
/*反平衡功*/
        qq3=dg[2]*)2437.14-140.63);
        qq4=0.0;
        qq5=0.0;
  wi2=q0+23.83*D0-qq3-qq4-qq5;
  fprintf(fp,"正平衡功:%.5f kW\n",wi1/3.6*0.97515);
```

```
  fprintf(fp,"反平衡功:%.5f kW\n",wi2/3.6*0.97515);
  effi=wi1/q0;
  effe=effi*0.99*0.985;
q=3600.0/effe;
rh=q/q0*D0;
fprintf(fp,"热耗率 q=%.4f kJ/kWh\n",q);
fprintf(fp,"汽耗率 d=%.4f kg/kWh\n",rh);
fprintf(fp,"电效率%.2f %\n",100.0*effe);
fclose(fp);
getch( );
}
```

计算结果为:

主蒸汽流量为:D0=587.310t/h

折算凝汽流量为:dgn=411.2429(t/h)

a(0)=27.0707 (t/h)

a(1)=33.4765 (t/h)

a(2)=22.9987 (t/h)

a(3)=5.4234 (t/h)

a(4)=12.0505 (t/h)

a(5)=13.7808 (t/h)

a(6)=20.9420 (t/h)

a(7)=27.5445 (t/h)

正平衡功:200000.11186 (kW)

反平衡功:2000000.11148 (kW)

热耗率 q=8343.8762 (kJ/kW·h)

汽耗率 d=2.9365 (kg/kW·h)

电效率 43.15%

各加热器的热平衡结果如下表:

加热器	绝对误差(kJ/h)
1#	0.12×10^{-8}
2#	-4.2×10^{-8}
3#	2.1×10^{-8}
4#	-2.3×10^{-8}
5#	-2.2×10^{-8}
6#	0.88×10^{-8}
7#	-0.24×10^{-8}
8#	-1.6×10^{-8}

由表中可以看出,本例所采用的算法是正确的。

6.4 供热机组举例

【例 6.5】 CC50-8.82/1.27/0.118 型汽轮机双抽汽式汽轮机额定工况下:功率为 50MW,工业抽汽量为 140t/h,采暖抽汽量为 100t/h,最小凝汽流量为 12t/h。生产用汽回水率 30%,回水温度为 80℃。以除盐水为补充水,水温为 20℃。生产抽汽的回水与补充水都是先经过 0.118MPa 的低压除氧器送进主给水回热系统,回水和补充水返回主循环的焓值为 424.96kJ/kg。试计算额定工况下,各非调节抽汽的流量。汽轮发电机的机械效率和发电机效率之积为 0.96。给水泵焓升为 17.17kJ。

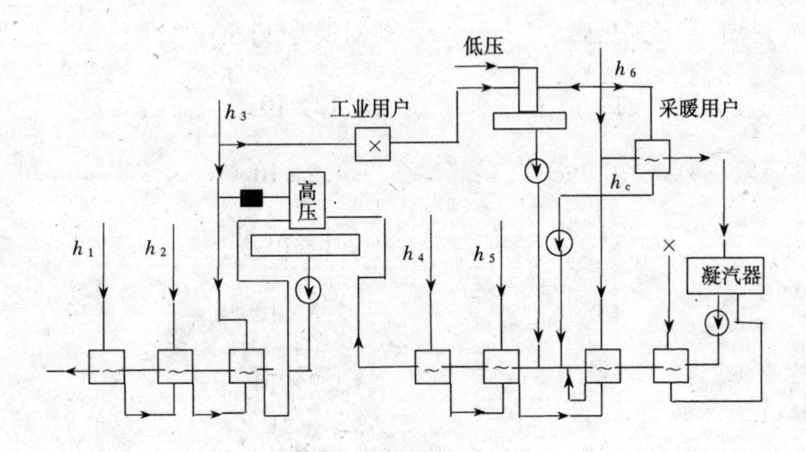

图 6-3

（注　图中■为调节阀）

$h_1 = 3294.59$，　$\bar{t}_1 = 1051.31$，　$\bar{a}_{F1} = 1059.55$；

$h_2 = 3187.41$，　$\bar{t}_2 = 931.19$，　$\bar{t}_{F2} = 941.15$；

$h_3 = 3040.45$，　$\bar{t}_3 = 778.37$，　$\theta_3 = 621.74$；

$h_4 = 2898.52$，　$\bar{t}_4 = 621.74$，　$\bar{t}_{F4} = 642.67$；

$h_5 = 2798.88$，　$\bar{t}_5 = 529.63$，　$\bar{t}_{F5} = 550.56$；

$h_6 = 2655.27$，　$\bar{t}_6 = 404.03$，　$\theta_6 = 20.93$；

$h_c = 2523.38$，　$\bar{t}_c = 100.48$；

注：$\bar{t}_6$ 为与疏水混合前的第 6 号加热器的出口水焓。

具体程序如下：

```
#include"stdio.h"
#include"conio.h"
#incluele"u2.c"
```

```
#define D0 334.7060
main( )
{int i;
FILE * fp;
  double dg[2],wi1,wi2,q,q0,qq1,qq2,qq3,qq4,qq5;
  double gy,cn,hsl,tt1,dd1,gy1,cn1;
  double et=1.0;
  static double dl[3],d2[3];
  static double xl[3][6]={{3294.59,1051.31,1059.55}
                         {3187.41,931.19,941.15},
                         {3040.45,778.37,621.74,0.0,0.0,17.17 * D0}};
    static double x2[3][6]={{2898.52,621.74,642.67},
                           {2798.88,529.63,550.56},
                           {2655.27,404.03,100.48}};
textbackground(BLUE);
    clrscr();
/* 供热部分计算 */
/* gy 为工业抽汽量;cn 为采暖抽汽量 */
    gy=140.0;
    cn=100.0;
/* tt1 为回水和补充水混合后的焓值 */
  tt1=(80.0 * 0.3+20 * 0.7) * 4.1868;
  dd1=(2655.27-424.96)/(2655.27-tt1);
gy1=gy/dd1;
cn1=(1.0/dd1-1.0) * gy;
/* 92.11 * (cn+gy1)为供热回水在第 4 号加热器中的吸热量;
  104.67 * (cn+gy1)为供热回水在第 5 号加热器中的吸热量 */
  x2[0][5]=-92.11 * (cn+gy1);x2[1][5]=-104.67 * (cn+gy1);
  /* 非调节抽汽流量分配计算 */
    dg[0]=u3(3,0.0,et,x1,d1,D0);
    dg[1]=u3(3,20.93,et,x2,d2,dg[0]-cn-gy1);
```

```
/* 计算结果放在文件 cc50.dat 中 */
  fp=fopen("cc50.dat","w");
  fprintf(fp,"主蒸汽流量为:D0=%.3ft/h\n\n",D0);
       fprintf(fp,"折算凝汽流量为:dgn=%.4ft/h\n",dg[1]);
fprintf(fp,"流量分布为:\n");
for(i=0;i<=2;i++)fprintf(fp,"a(%d)=%.4f t/h\n,i+1,d1[i]);
  for(i=0;i<=2;i++)fprintf(fp,"a(%d)=%.4f t/h\n,i+4,d2[i]);
/* 正平衡功 */
        q0=(3475.04-1051.31)*D0;
        qq1=0.0;qq2=0.0;
        for(i=0;i<=2;i++)
            qq1=qq1+x1[i][0]*d1[i];
        for(i=0;i<=2;i++)
          qq1=qq1+x2[i][0]*d2[i];
        qq1=qq1+2523.38*dg[1];
        qq2=0.0;
/* 反平衡功 */
        qq3=dg[1]*(2523.38-100.48);
        qq4=0.0;
        qq5=cn*(2655.27-424.96)+gy*(3040.45-tt1);
  wi2=q0+17.17*D0-qq3-qq4-qq5;
  fprintf(fp,"正平衡功率为:%.5f kW\n",wi1/3.6*0.96);
  fprintf(fp,"反平衡功率为:%.5f kW\n",wi2/3.6*0.96);
  fclose(fp);
  getch();
}
```

计算结果为:

主蒸汽流量为:D0=334.706t/h

折算凝汽流量为:dgn=1.2643t/h

流量分布为:

a(1) = 17.9884 t/h

a(2) = 21.8229 t/h

a(3) = 14.0414 t/h

a(4) = 11.4677 t/h

a(5) = 12.6170 t/h

a(6) = -1.1843 t/h

正平衡功率为:500000.10064 kW

反平衡功率为:500000.10064 kW

由计算可知:在额定工况下,汽轮机的凝汽汽量只有1.2643t/h,而且第6级抽汽为-1.1843t/h,表明该加热器成为一蒸发器,因此该机组的设计是不合理的。文献[2]的采用循环函数法手算结果为凝汽流量为:1.264t/h,可见本例的计算结果是正确的。

第七章　典型实例分析

热力系统随着机组参数的不断提高，单机容量的不断增大以及普遍采用中间再热，系统的结构日趋复杂化，对热经济性的监视和管理提出了更高的要求。即时迅速的查明各种因素对能量损失的影响是进行科学决策和提高运行管理水平的前提。

影响电厂热力系统的热经济性的因素很多。例如：锅炉过热器喷水减温系统，再热器喷水减温系统，轴封漏汽，锅炉排污，疏水冷却器，加热器的变工况、疏水泵，锅炉排烟余热的利用，除氧器变压运行，除氧器排汽等等。本章列举了再热机组的一些典型过程的热经济性分析，其方法对纯凝汽机组和供热机组同样适用，这些实例对于迅速掌握本书的内容和方法，以及进行实际的热经济性分析是非常有利的。

7.1　锅炉过热器喷水减温系统

现代锅炉机组的过热器上采用喷水来调节过热器的汽温。喷水调温具有结构简单、惰性小和调温幅度大的优点。根据喷水减温水源有不同的来源，可分为来自给水泵出口和最高压力加热器出口的给水。不同的水源对系统热经济性的影响是不同的。对喷水减温系统进行定量分析是指导系统设计运行和改造的技术依据，是电厂节能分析的一个重要方面。

【例 7.1】　如图 7-1 为 N200-12.75/535/535 型机组的过热器喷水减温系统。减温水来源可分为给水泵出口(a)和最高加热器出口(b)两种。试分析两种情况的经济性。已知减温水量为 1.0t/h，锅炉效率和管道效率之积为 0.9。其他数据取自例 4.4。

扣除再热器吸热量影响之后的作功效率向量为：

$$\vec{e}=\{0.443719,0.366009,$$
$$0.335329,0.31556,0.28589,0.23958,0.20034,$$
$$0.16871,0.10031\}^{T};$$

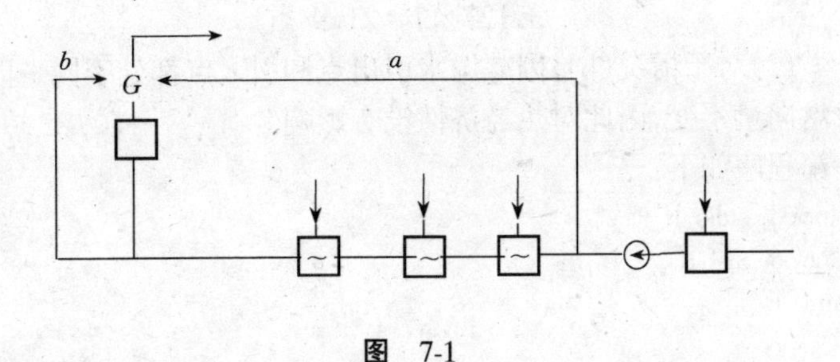

图 7-1

解：

(1)对于情况(a)，减温水出自给水泵出口。1kg 减温水离开主给水系统时的焓向量为：

$\vec{a_o}=$

$\{0.0,0.0,0.0,23.83,68.08,86.83,71.36,134.11,165.89\}$；

其作功能力为：

$$\varphi_{out}=\vec{a_o}\times\vec{e}=101.34830\ (kJ/kg)$$

进入过热器时的焓向量为：

$\vec{a_i}=$

$\{-347.62,104.21,136.28,130.96,68.08,86.83,71.36,134.11,165.89\}$；

其作功能力为：

$$\varphi_{in}=\vec{a_i}\times\vec{e}=64.74908\ (kJ/kg)$$

1kg 减温水在热力系统的作功能力损失为：

$$\Delta\varphi = \varphi_{out} - \varphi_{in} = 36.59922\ (kJ/kg)$$

当减温水为1.0t/h时，多耗标准煤量为：

$$\Delta B = \frac{34.12\times1.0\times36.59922}{0.44372\times0.9}\times10^{-3} = 3.127\ (kg/h)$$

若机组年运行小时数为7000，则年多耗标准煤量为：

$$3.127\times7 = 21.9\ (t)$$

(2)对于情况(b)，因减温水引出点和引入点都处于同一能级，故焓向量不变，因此对热经济性没有影响。

计算程序如下：

```
#inclode"stdio.h"
#inclode"xlsf.c"
main( )
{
  static double e[9]=
{0.443719,0.366009.0.335329,0.31556,0.28589,0.23958,0.20034,
0.16871,0.10031};
static double ao[9]=
{0.0,0.0,0.0,23.83,68.08,86.83,71.36,134,11,165.89};
static double ai[9]=
{-347.62,104.21,136.28,130.96,68.08,86.83,71.36,134.11,165.89};
printf("ao 的作功能力为：%.5f\n",vmult(9,ao,e));
printf("ai 的作功能力为：%.5f\n",vmult(9,ai,e));
getch( );
}
```

计算结果为：

ao 的作功能力为：101.34830

ai 的作功能力为：64.74908

7.2 再热器喷水减温系统

再热器喷水减温将造成设备热经济性很大的降低。一般再热器汽温的调节是采用烟气侧调节或采用面式减温器,喷水减温是作为事故条件下的备用减温手段。若再热器减温水门关闭不严,即使是少量的泄漏也会造成较大的热经济损失。但是喷水减温作为事故备用减温手段对确保设备安全还是不可缺少的。

再热器喷水引起热经济性的降低,随喷水分流地点不同而有差异。一般喷水来源有两种:一种是来自最高压力加热器出口;另一种是来自给水泵抽头。其热经济性的降低的定量分析见下列。

【例 7.2】 例 4.4 的 N200 型机组的再热器喷水减温系统,如图 7-2 所示,减温水有两种来源:(a)来自最高加热器的出口主凝结水;(b)来自给水泵中间抽头,假定在中间抽头处,给水在给水泵中的焓升为 10.0kJ/kg。若减温水量为 1.0t/h,试分析其经济性。机组数据见例 4.4。

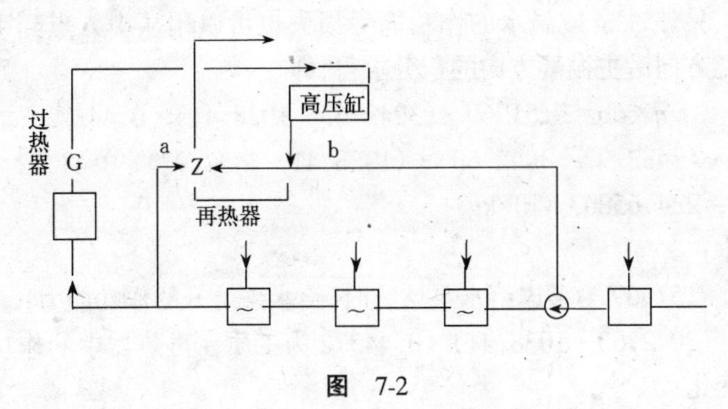

图 7-2

解:(1)对于情况(a),减温水离开主循环时的焓向量为:

$\vec{a_o}=$

{0.0,104.21,136.28,130.96,68.08,86.83,71.36,134.11,165.89};

其作功能力为:

$$\varphi_{out}=\vec{a_o}\times\vec{e}=218.99468\ (kJ/kg)。$$

减温水进入再热器时的作功能力可沿汽轮机侧从凝汽器到减温水引入点的路径的积分求得,其中,从汽轮机排汽到再热器热段的作功效率为:1,焓变化为:(3542.66 - 2437.14);从再热器热段到减温水引入点的作功效率为:0.44372(即锅炉能级的作功效率),焓变化为:(1038.41 - 3542.66)。

作功能力为:

$$
\begin{aligned}
\varphi_{in} &= \int \eta \times dh \\
&= (3542.66 - 2437.14) + (1038.41 - 3542.66) \times 0.44372 \\
&= -5.66581\ (kJ/kg)
\end{aligned}
$$

(式中,3542.66 为再热热段的蒸汽焓)

1kg 减温水的作功能力损失为:

$$\Delta\varphi = \varphi_{out} - \varphi_{in} = 224.66049\ (kJ/kg)$$

另外,1kg 减温水的作功能力损失也可以用从引入点到引出点逆方向沿主循环方向的积分求得,即

$$
\begin{aligned}
\Delta\varphi &= \int \eta \times dh = 7.51969 + (3042.63 - 1038.41) \times 0.44372 \\
&\quad + (3432.97 - 3042.63) + (1038.41 - 3432.97) \times 0.44372 \\
&= 224.65803\ (kJ/kg)
\end{aligned}
$$

其中:

7.51969 为考虑给水泵焓升时,给水泵焓升的作功能力;

(3042.63 - 1038.41) × 0.44372 为工质在再热器中的作功能力变化;

(3432.97 - 3042.63)为工质在高压缸中的作功能力变化;

(1038.41 - 3432.97) × 0.44372 为工质在锅炉中的作功能力变化(不包括再热器)。

可见两种算法得到的结果是相同的。

1.0t/h 减温水多耗标准煤量为:

$$\Delta B = \frac{34.12 \times 1.0 \times 224.66049}{0.44372 \times 0.9} \times 10^{-3} = 19.19\ (kg/h)$$

若机组年运行小时数为7000,则年多耗标准煤量为:

$$19.19\times 7=134.3t。$$

(2)对于情况(b),

$\overrightarrow{a_o}=\{0.0,0.0,0.0,10.0,68.08,86.83,71.36,134.11,165.89\}$;

其作功能力为:

$$\varphi_{out}=\overrightarrow{a_o}\times\overrightarrow{e}=96.98411\ (kJ/kg)$$

减温水进入再热器时的作功能力可沿汽轮机侧从凝汽器到减温水引入点的路径的积分求得,其中,从汽轮机排汽到再热器热段的作功效率为:1,焓变化为:(3542.66-2437.14);从再热器热段到减温水引入点的作功效率为:0.44372(即锅炉能级的作功效率),焓变化为:(676.96-3542.66)。

作功能力为:

$$\begin{aligned}\varphi_{in}&=\int\eta\times dh\\&=(3542.66-2437.14)+(676.96-3542.66)\\&\times 0.44372=-166.048401\ (kJ/kg)\end{aligned}$$

式中:3542.66为再热热段的蒸汽焓。

1kg减温水的作功能力损失为:

$$\Delta\varphi=\varphi_{out}-\varphi_{in}=263.03251\ (kJ/kg)$$

另外,1kg减温水的作功能力损失也可以用从引入点到引出点逆方向沿主循环方向的积分求得,即

$$\begin{aligned}\Delta\varphi=\int\eta\times dh&=(3042.63-676.96)\times 0.44372+7.51969+\\&(3432.97-3042.63)-2394.56\times 0.44372\\&-104.21\times 0.366009-136.28\times 0.335329\\&-120.96\times 0.31556=263.02161(kJ/kg)\end{aligned}$$

其中:

7.51969为考虑给水泵焓升时,给水泵焓升的作功能力;

(3042.63-676.96)×0.44372为工质在再热器中的作功能

力变化；

(3432.97－3042.63)为工质在高压缸中的作功能力变化；

－2394.56×0.44372 为工质在锅炉中的作功能力变化(不包括再热器)；

－104.21×0.366009 为工质在第 1 号加热器中的作功能力变化；－136.28×0.3335329 为工质在第 2 号加热器中的作功能力变化；

－120.96×0.31556 为工质在第 3 号加热器中的作功能力变化。

1.0t/h 减温水多耗标准煤量为：

$$\Delta B = \frac{34.12 \times 1.0 \times 263.03251}{0.44372 \times 0.9} \times 10^{-3} = 22.47\ (\mathrm{kg/h})$$

若机组年运行小时数为 7000，则年多耗标准煤量为：22.47×7＝157.3t

从以上的计算可知：再热器减温水量即使不大，也可能造成较大的热经济性损失。

7.3 锅炉排污扩容系统

现代化超高参数机组，为了确保机组的安全以及运行的经济性，对蒸汽的清洁度提出了严格的要求。为此，汽包式自然循环锅炉装有连续排污装置。

我国《电力工业技术管理法规》规定，汽包锅炉的排污率不得低于 0.3%，但也不得超过下列数值：

以化学除盐水或蒸馏水为补给水的凝汽式电厂　1%；

以化学软水为补给水的凝汽式电厂　2%；

以化学除盐水或蒸馏水为补给水的热电厂　2%；

以化学软水为补给水的热电厂　5%。

锅炉连续排污不仅带来工质损失，而且还伴随有热量损失。连续排污不仅数量大，而且温度、压力较高，是一种较高能级的热水，应当充分利用，以提高电厂的热经济性。通常是通过排污扩容系统加以回收利用。排污水经过扩容器回收一部分工质和热量，达到提高热经济性的目的。锅炉排污扩容系统的热经济性分析见例7.3和例7.4。

【例 7.3】 N200 12-75/535/535 型机组的连续排污量为6.0t/h，补充水进入凝汽器。试分析其经济性。机组数据见例4.4。

解：锅炉压力下的饱和水焓为1638.7 kJ/kg。

锅炉排污水的焓向量为：

$\overrightarrow{a_o}=$

$\{600.29, 104.21, 136.28, 130.96, 68.08, 86.83, 71.36, 134.11, 165.89\}$；

对应的作功能力为：

$\varphi_{out}=\overrightarrow{a_o}\times\overrightarrow{e}=485.35476\ (kJ/kg)$。

补充进入凝汽器的作功能力为：

$\varphi_{in}=0.0\ (kJ/kg)$

1kg锅炉排污水的作功能力损失为：

$\Delta\varphi=\varphi_{out}-\varphi_{in}=485.35476\ (kJ/kg)$。

6.0t/h 排污水多耗标准煤量为：

$$\Delta B=\frac{34.12\times6.0\times485.35476}{0.44372\times0.9}\times10^{-3}=248.81\ (kg/h)$$

若机组年运行小时数为7000，则年多耗标准煤量为：

$$248.81\times7=1741.67\ (t)$$

【例 7.4】 在例7.3中，若用一级排污扩容器回收部分排污水热量，排污扩容蒸汽焓为2754.6kJ/kg，引入除氧器，扩容后的排污水焓为 666.96kJ/kg，排污扩容器的热利用系数为 0.99。试分析回收蒸汽一年可节约多少标准煤量。机组的年利用时数为 7000。

解：排污扩容器回收的蒸汽量为：

$$\frac{6.0\times0.99\times(1638.7-666.96)}{2754.6-666.96}=2.76491\ (\mathrm{t/h})$$

排污扩容蒸汽进入除氧器时的焓向量为：

$$\vec{a_x}=\{0.0,0.0,0.0,0.0,2155.72,86.83,71.36,134.11,165.89\}$$

其作功能力为：

$$\varphi_{in}=690.66391\ (\mathrm{kJ/kg})$$

2.76491t/h 排污扩容蒸汽节约的标准煤量为：

$$\Delta B=\frac{34.12\times2.76491\times690.66391}{0.44372\times0.9}\times10^{-3}=163.16\ (\mathrm{kg/h})$$

若机组年运行小时数为 7000，则年节约标准煤量为：

$$163.16\times7=1142.1\ (\mathrm{t})$$

7.4 热力系统结构矩阵 A 微小变化时的经济性分析

作功效率分析法和并行算法中的叠加原理是以热力系统结构矩阵 A 不变为前提的。当热力系统的结构矩阵中任一元素发生变化时，原则上应根据变化后的结构矩阵和焓向量进行分析和计算。但是，若热力系统的结构矩阵仅发生了微小的变化，则可以采用简化算法作近似计算。

若变化前热力系统结构矩阵为 A，外部作用的焓向量为 $\vec{b}$，热力系统的流量分布向量为 $\vec{D}$。变化后热力系统结构矩阵为 $A+\delta A$；外部作用的焓向量和为 $\vec{b}+\delta\vec{b}$；热力系统的流量分布向量为 $\vec{D}+\delta\vec{D}$。则有

$$\vec{D} \times A = \vec{b} \tag{7-1}$$

$$(\vec{D} + \delta \vec{D}) \times (A + \delta A) = \vec{b} + \delta \vec{b} \tag{7-2}$$

当热力系统结构矩阵仅发生微小变化时,可以认为:$\delta \vec{D} \times \delta A \approx \vec{0}$。这时,有

$$\delta \vec{D} = (-\vec{D} \times \delta A + \delta \vec{b}) \times A^{-1} \tag{7-3}$$

作功能力增量为:

$$\delta \vec{D} \times \vec{\varphi} = -(\vec{D} \times \delta A) \times \vec{e} + \delta \vec{b} \times \vec{e} \tag{7-4}$$

由于热力系统结构矩阵变化之后,δA 和 $\delta \vec{b}$ 是已知的,故根据(7-4)式分析 A 变化时的经济性并不困难。

在热力系统中,加热器端差变化、抽汽压损、疏水冷却器、除氧器变压运行等适用于该节的分析。

【例 7.5】 N200-12.75/535/535 型机组除氧器采用滑压运行,使除氧器出口给水焓较设计值提高了 40.0kJ/kg。试分析其经济性。已知其流量分布向量为:

$\vec{D} =$

$\{587.310, -27.0707, -33.4765, -22.9987, -5.4234, -12.0505, -13.7808, -20.9420, -27.5445\}$;t/h

$$\delta \boldsymbol{A} = \begin{bmatrix} 0.0 & 0.0 & 0.0 & -40.0 & 40.0 & 0.0 & 0.0 & 0.0 & 0.0 \\ 0.0 & 0.0 & 0.0 & 0.0 & 0.0 & 0.0 & 0.0 & 0.0 & 0.0 \\ 0.0 & 0.0 & 0.0 & 0.0 & 0.0 & 0.0 & 0.0 & 0.0 & 0.0 \\ 0.0 & 0.0 & 0.0 & 0.0 & 0.0 & 0.0 & 0.0 & 0.0 & 0.0 \\ 0.0 & 0.0 & 0.0 & 0.0 & 0.0 & 0.0 & 0.0 & 0.0 & 0.0 \\ 0.0 & 0.0 & 0.0 & 0.0 & 0.0 & 0.0 & 0.0 & 0.0 & 0.0 \\ 0.0 & 0.0 & 0.0 & 0.0 & 0.0 & 0.0 & 0.0 & 0.0 & 0.0 \\ 0.0 & 0.0 & 0.0 & 0.0 & 0.0 & 0.0 & 0.0 & 0.0 & 0.0 \\ 0.0 & 0.0 & 0.0 & 0.0 & 0.0 & 0.0 & 0.0 & 0.0 & 0.0 \end{bmatrix}$$

$\delta \vec{b} = \vec{0}$

作功能力增量为：

$\delta \vec{D} \times \vec{\varphi} = -(\vec{D} \times \delta A) \times \vec{e} = 697.02\ (\mathrm{kJ/kg}) \cdot (\mathrm{t/h})$

节约的标准煤量为：

$$\Delta B = \frac{34.12 \times 697.02}{0.44372 \times 0.9} \times 10^{-3} = 59.55\ (\mathrm{kg/h})$$

若机组年运行小时数为 7000，则年节约标准煤量为：

$$59.55 \times 7 = 416.9\ (\mathrm{t})$$

【例 7.6】 若 N200-12.75/535/535 型机组热力系统中第 3 级加热器加装疏水冷却器，使疏水在第 3 级加热器中的放热量增加了 40.0kJ/kg。试分析其热经济性。

解：热力系统结构矩阵变化为：

$$\delta \boldsymbol{A} = \begin{bmatrix} 0.0 & 0.0 & 0.0 & 0.0.0 & 0.0 & 0.0 & 0.0 & 0.0 & 0.0 \\ 0.0 & 0.0 & 0.0 & 40.0 & -40.0 & 0.0 & 0.0 & 0.0 & 0.0 \\ 0.0 & 0.0 & 0.0 & 40.0 & -40.0 & 0.0 & 0.0 & 0.0 & 0.0 \\ 0.0 & 0.0 & 0.0 & 40.0 & -40.0 & 0.0 & 0.0 & 0.0 & 0.0 \\ 0.0 & 0.0 & 0.0 & 0.0 & 0.0 & 0.0 & 0.0 & 0.0 & 0.0 \\ 0.0 & 0.0 & 0.0 & 0.0 & 0.0 & 0.0 & 0.0 & 0.0 & 0.0 \\ 0.0 & 0.0 & 0.0 & 0.0 & 0.0 & 0.0 & 0.0 & 0.0 & 0.0 \\ 0.0 & 0.0 & 0.0 & 0.0 & 0.0 & 0.0 & 0.0 & 0.0 & 0.0 \\ 0.0 & 0.0 & 0.0 & 0.0 & 0.0 & 0.0 & 0.0 & 0.0 & 0.0 \end{bmatrix}$$

外部焓向量变化：

$\delta \vec{b} =$

$\{0.0, 0.0, 1.94 \times 40.0, -1.94 \times 40.0, 0.0, 0.0, 0.0, 0.0, 0.0\}$；

$-(\vec{D} \times \delta A) \times \vec{e} = 99.15\ (\mathrm{kJ/kg}) \cdot (\mathrm{t/h})$

$\delta \vec{b} \times \vec{e} = 2.30\ (\mathrm{kJ/kg}) \cdot (\mathrm{t/h})$

$$\Delta B = \frac{34.12 \times (99.15 + 2.30)}{0.44372 \times 0.9} \times 10^{-3} = 8.67\ (\mathrm{kg/h})$$

若机组年运行小时数为7000,则年节约标准煤量为:

$$8.67 \times 7 = 60.67\ (\mathrm{t})$$

参 考 文 献

1 林万超著.火电厂热系统节能理论.西安:西安交通大学出版社,1994

2 郑体宽主编.热力发电厂.北京:水利电力出版社,1995

3 郭丙然主编.火电厂计算机分析.北京:水利电力出版社,1994

4 汪孟乐主编.火电厂热力系统分析.北京:水利电力出版社,1992

5 马芳礼著.电厂热力系统节能分析原理.北京:水利电力出版社,1992

6 郭民臣等.电厂热力系统矩阵分析法的改进.热能动力工程,1997(2)

7 岳洪.火电厂热力系统热平衡的拓扑算法.热能动力工程,1997(5)

8 严俊杰等.工业抽汽过热度利用研究.动力工程,1998(4)

9 刘继平等.等效热降理论的扩展研究.热力发电,1998(5)

10 阎水保.电厂热力系统工质流量分配计算方法.热能动力工程,1998(5)

11 阎水保.电厂热力系统作功能力分析.发电设备,1999(3)

12 阎水保.加热单元的通用函数.华北水利水电学院学报,1999(2)

图书在版编目(CIP)数据

电厂热力系统节能分析原理及应用/阎水保,阎留保著.—郑州:黄河水利出版社,2000.6

ISBN 7-80621-420-8

Ⅰ.电…　Ⅱ.①阎…②阎…　Ⅲ.发电厂-热力系统-节能-基本知识　Ⅳ.TM621.4

中国版本图书馆 CIP 数据核字(2000)第 25283 号

责任编辑:雷元静　　封面设计:朱　鹏

责任校对:赵宏伟　　责任印制:常红昕

出版发行:黄河水利出版社

地址:河南省郑州市顺河路黄委会综合楼 12 层　邮编:450003

发行部电话:(0371)6302620　传真:(0371)6302219

E-mail:yrcp@public2.zz.ha.cn

印　刷:黄委会设计院印刷厂

开　本:850 mm×1 168 mm　1/32　　印　张:3.75

版　别:2000 年 6 月　第 1 版　　印　数:1—2 500

印　次:2000 年 6 月　郑州第 1 次印刷　　字　数:105 千字

定　价:12.00 元